Viva a ressurreição

Viva a ressurreição

EUGENE H. PETERSON

Traduzido por Robinson Malkomes

NOVA EDIÇÃO

Copyright © 2006 por Eugene H. Peterson
Prefácio © 2020 por Eric E. Peterson
Publicado originalmente pela NavPress, representada
pela Tyndale House Publishers, Carol Stream, Illinois,
EUA.

Os textos bíblicos foram extraídos da *Almeida Revista
e Atualizada*, 2ª edição (RA), da Sociedade Bíblica do
Brasil, salvo as seguintes indicações: *Nova Bíblia Viva*
(NBV) e *Nova Versão Internacional* (NVI), ambas da
Biblica, Inc.; *Nova Versão Transformadora* (NVT), da
Tyndale House Foundation; e *A Mensagem* (MSG), da
Editora Vida.

Todos os direitos reservados e protegidos pela Lei
9.610, de 19/02/1998.

É expressamente proibida a reprodução total ou
parcial deste livro, por quaisquer meios (eletrônicos,
mecânicos, fotográficos, gravação e outros), sem prévia
autorização, por escrito, da editora.

CIP-Brasil. Catalogação na publicação
Sindicato Nacional dos Editores de Livros, RJ

P578v
2. ed.

   Peterson, Eugene H., 1932-2018
    Viva a ressurreição / Eugene H. Peterson ; tradução
Robinson Malkomes. - 2. ed. - São Paulo : Mundo Cristão,
2023.
    160 p.

   Tradução de: Living the resurrection
   ISBN 978-65-5988-182-7

   1. Jesus Cristo - Ressurreição. 2. Bíblia. N.T. Evangelhos -
Crítica, interpretação, etc. 3. Vida cristã. I. Malkomes,
Robinson. II. Título.

22-80337   CDD: 248.4
                     CDU: 27-312.9:27-584

Meri Gleice Rodrigues de Souza - Bibliotecária - CRB-7/6439

Categoria: Espiritualidade
1ª edição: fevereiro de 2007
2ª edição: fevereiro de 2023 | 1ª reimpressão: 2023

Edição
Daniel Faria

Revisão
Natália Custódio

Produção
Felipe Marques

Diagramação
Marina Timm

Colaboração
Ana Luiza Ferreira

Capa
Douglas Lucas

Publicado no Brasil com todos
os direitos reservados por:

Editora Mundo Cristão
Rua Antônio Carlos Tacconi, 69
São Paulo, SP, Brasil
CEP 04810-020
Telefone: (11) 2127-4147
www.mundocristao.com.br

Sumário

Prefácio por Eric E. Peterson   7

1. Ressurreição e deslumbramento   13

2. Ressurreição, comida e bebida   55

3. Ressurreição e amigos   97

Apêndice: Histórias da ressurreição   135
Notas   159

Prefácio

"Creio [...] na ressurreição do corpo." Essa afirmação do credo, uma pedra angular da ortodoxia cristã, combina habilmente dois pilares centrais de nossa fé: a encarnação e a ressurreição. A carne que revestia Jesus no Dia de Natal não se esvaneceu no Dia da Ascensão; ele não se metamorfoseou de um ser físico para um ser espiritual tão logo se foi deste mundo. Desde o princípio, o corpo de Cristo esteve intimamente envolvido em todos os detalhes da criação de Deus, da revelação de Deus, da salvação de Deus. Ainda hoje, esse corpo se assenta à destra do Pai, reinando, orando, preparando. Ele está tão fisicamente vivo e com saúde quanto estava em seu nascimento em Belém.

Uma vez que a vida da fé nada é senão encarnada, ela deve ser vivida — vivida na carne. Embora o corpo de Jesus esteja, por ora, devolvido ao céu, o corpo de Cristo permanece encarnado por meio da igreja. Manifestando a presença corporal de Jesus, a vida cristã segue adiante em meio aos detalhes comuns do aqui e agora, ancorada neste planeta. O Espírito

Santo (que é o Espírito de Cristo) habita nos batizados, criando uma misteriosa convergência de tudo o que é passado, presente e futuro, uma realidade que se celebra na liturgia da Eucaristia: "Cristo morreu, Cristo ressuscitou, Cristo voltará". Por ora, ele vive em pessoas como você e eu.

Viver a encarnação e viver a ressurreição são dois lados da mesma moeda de discipulado; é a união de nossa mortalidade e nossa imortalidade. Nada fica de fora.

Poucas dádivas em minha vida se comparam à de estar junto a meu pai durante seus últimos dias. Na tarde em que ele ficou pela primeira vez numa unidade de cuidados paliativos, resumi para ele a realidade de sua condição contando-lhe três coisas:

1. Você é muitíssimo amado.
2. Vamos cuidar de você.
3. O restante de sua vida provavelmente será medido em dias e semanas, não mais em meses e anos.

Quando lhe perguntei como se sentia diante da perspectiva de morrer, depois de sua habitual pausa pensativa ele disse: "Me sinto bem". E, de fato, ele se sentia. Seus últimos dias foram acompanhados de uma alegria incomum à medida que ele se deleitava nas visitas da família e dos amigos, desfrutava uma última ceia de sorvete de noz-pecã, interagia com pessoas (anjos?) do outro lado do limiar entre a terra e o céu que se preparavam, assim estou convencido, para acolhê-lo no paraíso. Como resultado, eu agora, mais do que nunca, creio na ressurreição do corpo. A morte de meu pai, bem como sua vida, foi um testemunho convincente da ressurreição que ele, agora, herdou por completo.

Embora o funeral de Eugene tenha sido aberto ao público,[1] o breve serviço fúnebre que se seguiu foi uma questão íntima, apenas para a família. Conforme nos reuníamos em torno de seu caixão para uma despedida final, e pouco antes de encomendarmos "terra à terra, cinza à cinza, pó ao pó", parecia apropriado que se ouvisse a voz de Eugene pela última vez. Na relva de uma encosta no Cemitério Memorial Conrad de Montana, li estas palavras extraídas de suas memórias, um dos últimos livros que escreveu:

> A ressurreição não tem a ver apenas com o que acontece depois que somos enterrados ou cremados. Sim, tem a ver com isso, mas tem a ver primeiramente com o modo em que vivemos hoje. Mas, como Karl Barth, citando Nietzsche, resumidamente nos lembra: "Somente onde há sepulturas há ressurreição". Praticamos nossa morte abrindo mão das exigências que impomos à vida. Somente por meio desse abandono ou renúncia poderemos praticar a ressurreição.[2]

Saímos do cemitério e nos juntamos a centenas de amigos para uma recepção nas redondezas. Contamos histórias. Dividimos comida e bebida. Pusemos os pés sobre a linha emocional entre a dor esmagadora e o deslumbramento agradecido — o que significa dizer que, logo após a morte, nós nos juntamos a Eugene para viver a ressurreição.

ERIC EUGENE PETERSON
Pentecostes, 2019

As mulheres, maravilhadas e eufóricas, não perderam tempo: correram para contar a novidade aos discípulos. No caminho, Jesus as encontrou. "Paz seja com vocês!", ele disse. Elas se ajoelharam, abraçaram seus pés e o adoraram.

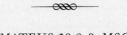

MATEUS 28.8-9, MSG

1
Ressurreição e deslumbramento

Sempre gostei de como Billy Sunday formulava seu conceito de vida cristã ideal. Ele foi um dos maiores evangelistas americanos e pregava para grandes massas. Cem anos atrás, ele cruzava os Estados Unidos com seu grandioso espetáculo de avivamento que atraía enormes multidões. Ex-jogador de beisebol, ocupava o púlpito com o mesmo desembaraço de um atleta; noite após noite, seus sermões eram como grandes jogadas e lances de craque em suas gigantescas tendas de avivamento. Uma das marcas registradas dessas tendas era a trilha de serragem. O amplo corredor que ia da entrada da tenda até o púlpito onde ele pregava era recoberto por alguns centímetros de serragem. Isso ajudava a baixar a poeira nos dias secos e diminuía o barro nos dias de chuva. E a serragem formava uma trilha que passava por várias fileiras de cadeiras dobráveis em direção ao altar na parte da frente da tenda, logo abaixo do púlpito. Na hora da conclusão do sermão, Billy Sunday fazia seu famoso "apelo do altar", convidando homens e mulheres que tinham ido à tenda naquela noite para saírem das cadeiras onde estavam, pegarem a trilha de serragem em direção ao altar e ali, de joelhos, entregarem a vida a Cristo. A expressão "pegar a trilha de serragem" [*hitting the sawdust trail*] entrou para o vocabulário do inglês norte-americano como sinônimo de arrependimento e conversão.

A expressão perfeita

Eu não sei se a expressão "pegar a trilha de serragem" foi inventada por Billy Sunday, mas é certo que foi ele que a consagrou na língua inglesa. A expressão que ele sempre repetia para referir-se à vida cristã ideal era a seguinte: "Pegue a trilha de serragem, dobre os joelhos e receba Cristo como seu Salvador. Em seguida, saia daqui para a rua, seja atropelado por uma carreta e vá direto para o céu".

Acho que dá para concordar que essa é uma fórmula perfeita para chegar ao céu de um jeito bem rápido e fácil. E praticamente infalível. Não há tempo para desviar-se da fé, não há tentação para atrapalhar, dúvidas com as quais lutar, marido ou esposa para honrar, filhos para aturar, inimigos para amar, nem tristeza, nem lágrimas. É a eternidade num estalar de dedos.

Billy Sunday é um exemplo extremo e mais ou menos típico da mentalidade norte-americana nesses assuntos: Faça direito, mas faça o mais rápido possível. Estabeleça seus objetivos e vá em busca deles pelos meios mais eficientes e econômicos. Como cultura, somos especialistas em começar. Estabelecemos objetivos magníficos. Mas não somos assim tão extraordinários em dar sequência. Quando as coisas começam a dar errado, simplesmente começamos tudo de novo, já que somos bons nisso. Ou fixamos um novo objetivo, uma nova "visão" ou, como chamamos, uma nova "declaração de missão". E durante algum tempo isso nos distrai do que está acontecendo bem debaixo do nosso nariz.

O que a igreja exclui

Parafraseando algo que o papa João Paulo II disse certa vez, ao dirigir-se a um grupo de líderes de países do Terceiro Mundo: Não procurem nas nações ocidentais um modelo de desenvolvimento. Embora saibam fazer as coisas, não sabem conviver com elas. Atingiram um nível tecnológico impressionante, mas esqueceram como os filhos devem ser criados.

É esse o contexto deste livro. Um contexto cultural em que almas são ignoradas no meio da correria para conseguir ou para fazer alguma coisa. Uma importante tarefa da igreja cristã é formar pessoas por meio do Espírito Santo, até que elas cheguem "à medida da estatura da plenitude de Cristo" (Ef 4.13).

Mas, de modo geral, é uma tarefa negligenciada. Temos várias programações para cuidar disso, mas elas sempre estão na periferia de alguma outra coisa. A formação espiritual recebe muito mais atenção no mundo secular da espiritualidade da Nova Era ou do desenvolvimento psicológico do que na igreja. E por mais louvável que seja a atenção dada pelos mestres e guias deste mundo, eles estão tentando fazer tudo isso sem Jesus Cristo ou colocando Jesus apenas como elemento periférico. Portanto, estão deixando de fora o que é mais importante, a saber, a ressurreição.

Tenho certeza de que a igreja é a comunidade que Deus colocou no centro do mundo para manter o mundo centrado. Um dos aspectos essenciais dessa tarefa de manter o mundo centrado chama-se formação espiritual — a formação da vida de Cristo em nós, processo que dura a vida inteira. Ela consiste no que acontece entre o momento em que tomamos consciência de nossa identidade como cristãos e aceitamos essa identidade e o momento em que nos sentaremos para a "ceia das bodas do Cordeiro" (Ap 19.9). Ocupa-se do modo como vivemos no período que vai entre o dobrar os joelhos no altar e o ser atropelado pela carreta.

Levanto esse assunto com considerável sentimento de urgência, não apenas porque a cultura que nos cerca tem secularizado amplamente a formação espiritual, mas também porque a igreja em que vivo, e para a qual fui chamado a falar e escrever, está, nesse assunto, cada vez mais se tornando como a cultura, em vez de se contrapor a ela. O enorme interesse de hoje na "espiritualidade" não tem sido muito acompanhado, se é que o tem, por um interesse na questão da formação em Cristo, um processo longo, complexo e diário — ou seja, a prática de disposições e hábitos do coração que fazem a palavra *espiritualidade* deixar de ser um desejo, um anseio, uma fantasia ou uma digressão e se transformar em vida real vivida para a glória de Deus. Uma expressão de um poema de Wendell Berry, romancista, ensaísta e filósofo americano, traduz bem o que estamos falando — "praticar a ressurreição". Este livro está fundamentado na ressurreição de Jesus.

A ressurreição restaurada ao centro

Vivemos a vida cristã a partir de uma rica tradição de formação-via-ressurreição. A ressurreição de Jesus fornece a energia e as condições pelas quais andamos "na presença do Senhor, na terra dos viventes", conforme a ilustre expressão do salmo (116.9). A ressurreição de Jesus cria e oferece a realidade na qual somos formados como novas criaturas em Cristo por meio do Espírito Santo. A cultura do "faça você mesmo" e da autoajuda tem dominado o nosso pensamento de forma tão cabal, que em condições normais não damos atenção à coisa mais importante de todas: a ressurreição. E isso acontece porque a ressurreição não é algo que podemos usar, controlar, manipular ou aperfeiçoar. É interessante que o mundo tenha tido tão pouco sucesso ao tentar comercializar a Páscoa, transformando-a em mercadoria, ao contrário do que acontece com o Natal. Se não conseguimos entender alguma coisa nem mesmo usá-la, logo perdemos o interesse. Mas a ressurreição não é algo que está à disposição para ser usado por nós. É uma operação exclusiva de Deus.

O que pretendo fazer é restaurar a ressurreição ao centro e abraçar as tradições que dela advêm para nossa formação. Vou tratar de três aspectos da ressurreição de Jesus que nos definem e nos dão energia quando passamos a praticar a ressurreição em nossa vida. Em seguida, farei um contraste entre essa vivência da ressurreição a partir da realidade e das condições da ressurreição de Jesus e aquilo que julgo serem os hábitos ou pressupostos culturais mais comuns que nos levam a perder consciência da ressurreição ou que nos desviam dela. A isso darei o nome de "desconstrução da ressurreição". No final, apresentarei algumas sugestões sobre o que faz parte da prática da ressurreição: o ato de viver a vida de forma adequada e sensível num mundo onde Cristo ressuscitou e está vivo.

Reverência e intimidade:
uma não anda sem a outra

Os autores dos quatro evangelhos concluem o relato que fazem do evangelho de Jesus com uma ou mais histórias da ressurreição. Eles chegam a esse ponto por vias diversas e fornecem dados diferentes, mas há um elemento que não falta em nenhuma dessas narrativas: a sensação de deslumbramento, perplexidade, surpresa. Apesar das várias dicas espalhadas pelas Escrituras hebraicas, e mesmo depois de Jesus ter feito três previsões explícitas de sua ressurreição (ver Mc 8.31; 9.31; 10.34), quando ela aconteceu ninguém esperava aquilo. Ninguém mesmo. As primeiras pessoas às voltas com a ressurreição de Jesus estavam cuidando de assuntos que envolviam a sua morte. De repente, elas se veem obrigadas a fazer uma mudança de 180 graus e começar a cuidar de assuntos pertinentes à vida. E no meio disso tudo elas foram tomadas de deslumbramento.

Mateus apresenta-nos Maria Madalena e uma mulher que ele chama de "a outra Maria". No domingo logo cedo, elas vão fazer uma visita ao túmulo onde, na sexta-feira de tarde, tinham visto José de Arimateia colocar o corpo crucificado de Jesus (ver 28.1-10). Quando chegam ao túmulo, de repente o chão começa a tremer debaixo de seus pés — era um terremoto. Na sequência, veem o brilho de um relâmpago, que na verdade era um anjo. Essa mistura de terremoto com relâmpago faz os soldados romanos, que tomavam conta do túmulo, abandonarem o plantão. Assustados e sem entender nada do que estava acontecendo, eles desmaiam e ficam ali, esparramados pelo chão.

Mas as duas Marias estão em pé e ouvem o anjo, que lhes fala duas coisas: "Não temais" e "[ele] ressuscitou" (v. 5-6). Em seguida, o anjo lhes dá um recado que devem levar aos discípulos. Então, elas vão embora do túmulo, obedecendo à ordem do anjo. Profundamente admiradas e tomadas de alegria, saem correndo para contar a novidade aos discípulos. Mas são obrigadas a parar ao ouvir alguém que as cumprimenta: "Salve!" (v. 9). E, notando um tom de cordialidade no cumprimento, caem de joelhos diante do Jesus ressurreto. A primeira reação diante do Cristo ressurreto foi cair de joelhos em atitude de temor e reverência. Mas também houve certa dose de intimidade naquela reação, pois elas se atreveram a abraçar-lhe os pés e "o adoraram" (v. 9).

Juntos, esses dois elementos transformam-se em adoração. Ficar de joelhos diante de Jesus — uma expressão de reverência — não é em si mesmo adoração motivada pela ressurreição. Tocar e abraçar os pés de Jesus — uma expressão de intimidade — não é em si mesmo adoração motivada pela ressurreição. Reverência e intimidade não andam uma sem a outra. A reverência precisa banhar-se nas águas da intimidade, para que não se transforme num elemento estético frio e desligado da realidade. A intimidade precisa mergulhar nas águas da reverência, para que não se transforme em emoção eufórica. Aquelas mulheres sabiam o que estavam fazendo: elas estavam em contato com Deus na presença do Jesus vivo; por isso o adoraram.

Então, Jesus confirma o que o anjo já tinha falado: "Não temais"; e repete o recado que devia ser dado aos discípulos. E isso foi tudo.

Eu adoro observar a diferença entre aqueles soldados romanos — insensíveis e esparramados no chão, paralisados pelo medo — e aquelas duas mulheres exuberantes, de joelhos sobre o mesmo chão, energizadas pelo medo. Nos dois casos a ideia é a mesma: medo. Mas não é a mesma coisa. Há um medo que nos torna incapazes de lidar com Deus; e há um medo que nos resgata da preocupação com nós mesmos, com nossos sentimentos e circunstâncias e nos coloca num mundo que nos deixa deslumbrados. É um medo que nos resgata de nós mesmos e nos coloca na esfera de ação do próprio Deus.

Uma perplexidade esmagadora

Marcos acrescenta outra mulher — Salomé — ao relato que Mateus faz das duas Marias na visita ao túmulo no domingo cedo, adicionando alguns detalhes que aumentam a sensação de deslumbramento motivado pela ressurreição (ver 16.1-8). Marcos nos informa que as três mulheres estão se dirigindo ao túmulo preparadas para cumprir uma tarefa: embalsamar o corpo de Jesus com essências aromáticas. Mas havia um problema que as preocupava pelo caminho: Como entrariam no túmulo para realizar o trabalho? A entrada estava fechada por uma enorme pedra que havia sido rolada até ali, e elas jamais conseguiriam movê-la. Quando chegaram, porém, descobriram que a pedra já havia sido removida. Que surpresa! Elas achavam que teriam de resolver um problemão, mas o problemão já havia sido resolvido. Foram com a expectativa de realizar uma tarefa importante e até essencial, mas não havia mais nenhuma tarefa para ser realizada.

E elas ficam ainda mais surpresas quando entram no túmulo e encontram um jovem — supomos que fosse um anjo — que estava ali sentado e pronto para conversar com elas. Aquelas mulheres ficam "muito assustadas" (v. 5, MSG). Aliás, quem não ficaria? Mas ele as tranquiliza, conta-lhes que Jesus ressuscitou e lhes dá o recado que deveriam entregar aos discípulos.

Em seu final abrupto e conciso, Marcos ressalta a esmagadora perplexidade vivida pelas três mulheres. Elas estavam "nervosas e ainda um tanto atordoadas. Amedrontadas, não disseram nada a ninguém" (v. 8, MSG). De fato, estavam deslumbradas com a ressurreição.

Lembrando as palavras de Jesus

Lucas inclui algumas mulheres anônimas com as duas Marias e Salomé nessa primeira cena da ressurreição (ver 24.1-12). Essas mulheres anônimas eram as que "tinham vindo da Galileia com Jesus" (23.55) e também são chamadas "as mulheres" (24.1, MSG) e "as demais" (v. 10). Elas entram em cena trazendo as essências aromáticas que iriam usar para preparar o corpo de Jesus. Mas, é lógico, não há corpo nenhum. E elas ficam "confusas" (v. 4, MSG), coçam a cabeça e procuram ali em volta. Será que estamos no túmulo certo? Na sexta-feira de tarde, elas tinham estado bem ali e visto José de Arimateia colocar o corpo de Jesus lá dentro. Então passaram o sábado juntando as essências aromáticas e os óleos. Àquela altura, já haviam gastado horas preparando tudo para esse ato de devoção e de amor pela pessoa que havia significado tanto para elas e pela qual estavam de luto. E agora mais essa! Afinal de contas, o que é que está acontecendo aqui?

Então, de repente, aparecem dois homens na frente delas. Luzes brilhantes precipitam-se em cascata de suas roupas. Só podiam ser anjos. Completamente apavoradas, as mulheres caem com o rosto em terra. Os dois homens no túmulo as tranquilizam, dizendo: "Por que vocês estão procurando aqui aquele que está vivo? Ele não está aqui, mas ressuscitou. Lembrem-se do que ele disse, quando ainda estava na Galileia, que tinha de ser entregue aos pecadores, ser morto numa cruz e ressuscitar no terceiro dia?" (v. 5-7, MSG).

Claro, aquelas mulheres se lembravam. Já haviam escutado essas palavras. Mas nem em sonho podiam imaginar que aquilo fosse acontecer ainda durante esta vida. Dá para entender por que estão desnorteadas. Mas as palavras objetivas daqueles dois homens colocam-nas novamente dentro da realidade objetiva. Elas se lembram de onde haviam estado — as estradas na Galileia, as conversas, as refeições que haviam feito eram reais. Elas se lembram do que testemunharam havia tão pouco tempo — uma crucificação excruciante em Jerusalém. E se lembram das palavras de Jesus — palavras que elas mesmas haviam escutado. Como podiam se esquecer de tudo aquilo?

As mulheres se lembram. Não, elas não haviam enlouquecido. Por isso, logo se refazem e voltam para contar tudo aos discípulos. Mas não conseguiram fazer os discípulos acreditarem no que elas sabiam e haviam vivido. Os discípulos descartam o relato das mulheres como se fosse coisa de quem está delirando. Não acreditam numa palavra sequer e pensam que elas estão inventando tudo aquilo.

A natureza do deslumbramento

Não é simples transmitir a sensação de deslumbramento, ainda mais deslumbramento com a ressurreição.

Por sua própria natureza, o deslumbramento é algo que nos pega desprevenidos e está acima de qualquer expectativa ou suposição. E não pode ser colocado dentro de um esquema nem explicado. Requer presença e envolvimento.

Lucas acrescenta outro detalhe. Ele apresenta Pedro como o primeiro homem a entrar nesse clima de deslumbramento motivado pela ressurreição. No meio do descrédito geral que os discípulos conferem ao relato das mulheres, Pedro de um salto coloca-se de pé, corre para o túmulo, inclina-se para olhar lá dentro e vê somente alguns lençóis. Não havia mais nada. Ele então sai confuso, balançando a cabeça. É óbvio que não estamos diante de algo que, conforme costumamos dizer, "faz sentido". E até agora ninguém havia conseguido entender nada daquilo.

Há sobretudo duas maneiras de lidar com a realidade: mediante a compreensão e mediante o uso. Mediante a compreensão, pega-se um novo elemento que nos chega pela informação ou pela experiência e tenta-se fazer sentido daquilo, encaixando-o em todas as outras coisas que já conhecemos. Mediante o uso, testamos a nova experiência ou informação segundo as rotinas e regras do que pode ou deve ser feito. Mas essa ressurreição não respeita nenhuma dessas maneiras de lidar com a realidade. Tanto a compreensão quanto o uso são descartados pelo deslumbramento, pela perplexidade, pelo espanto — primeiro no caso das mulheres e depois no caso de Pedro, que, a exemplo delas, também se encontrava totalmente desnorteado.

Um detalhe revelador

João, como de costume, faz algo bem diferente dos outros evangelistas (ver 20.1-19) e eleva o grau do deslumbramento motivado pela ressurreição. Ele começa com Maria Madalena, que chega ao túmulo no domingo no final da madrugada e não entende nada do que vê. Ela descobre que o túmulo está vazio e logo tira a conclusão mais óbvia numa situação daquelas: roubo. Ladrões de sepultura. Naqueles dias, os roubos praticados em sepulturas eram um problema tão sério e tão comum, que as autoridades do Império Romano foram obrigadas a promulgar um decreto para tentar impedir que essa prática continuasse.[1] Parece que Maria não tinha perdido a capacidade de perceber a realidade. Ela foi plenamente capaz de olhar para os indícios e chegar a uma conclusão lógica. Por que outro motivo o túmulo estaria vazio?

Então Maria sai correndo para contar tudo a Pedro e ao "outro discípulo" — que julgamos ser João (v. 3). Na mesma hora, os dois saem em disparada para o túmulo. Eles entram no túmulo (pelo que parece, Maria não havia entrado) e descobrem que o lugar está mesmo vazio, mas tiram uma conclusão bem diferente da conclusão de Maria. A conclusão a que os dois chegam é ressurreição.

Como foi que eles concluíram isso? João reparou num detalhe que não podia deixar de ser notado, um detalhe muito revelador. O lenço que havia sido usado para cobrir a cabeça de Jesus não estava com o restante das peças de linho que envolveram o seu corpo, mas, conforme ele mesmo descreve, estava "separado delas, cuidadosamente dobrado" (v. 7, MSG). Com a inteligência de um detetive, João deduz que roubo era algo que estava fora de cogitação. Ladrões de sepultura não teriam tirado os panos que envolviam o corpo. Mesmo que o fizessem por crueldade, é difícil imaginar que perderiam tempo dobrando um lenço com cuidado e colocando-o à parte. João mantém a cabeça fria no meio da emoção daquela hora e, diante da força de uma única evidência (o lenço dobrado com cuidado), consegue chegar à verdade. Ressurreição. E é pensando nisso que Pedro e João saem do túmulo.

Raboni!

O autor do evangelho volta a atenção novamente para Maria. Depois de dar seu recado aos discípulos — recado que os fez sair em disparada naquela corrida na manhã da ressurreição —, Maria volta ao túmulo, ainda achando que o corpo de Jesus havia sido roubado. Ela fica do lado de fora, transtornada e chorando de tristeza. Então, abaixando-se para olhar dentro do túmulo, ela vê dois anjos. Com afeição, eles lhe perguntam sobre a razão do choro. Ela lhes explica a razão, e em seguida se vira. Ainda dentro de seu campo de visão periférica, repara na figura de um homem, não o reconhece e supõe ser o jardineiro. O homem lhe faz a mesma pergunta que os anjos haviam feito, e ela lhe dá a mesma resposta. Então, ele pronuncia seu nome: "Maria" (v. 16).

Ela se volta para olhar para ele, e a visão embaçada pelas lágrimas se torna nítida. Ela enxerga Jesus e responde: "Raboni!" — Mestre (v. 16). O termo *Raboni* denota a mistura de uma profunda reverência pela pessoa (um rabino) com uma intimidade afetiva (provavelmente algo próximo de "meu Mestre querido").[2]

O quarto evangelho apresenta a primeira cena da ressurreição de Jesus com algumas diferenças em relação aos três primeiros, mas o deslumbramento que ele transmite não é menor. Além de Pedro, mencionado de passagem por Lucas, outro homem aparece em cena: "o discípulo a quem Jesus amava" (21.20) — o discípulo amado, que julgamos ser João. Cada um dos dois vive a própria história. Ambos vivem uma história que decorre da ação de Maria Madalena, que primeiro sai correndo do túmulo para disparar o alarme e depois volta para lá chorando, desconsolada com sua perda. O alarme que ela dispara é o que provoca a corrida de Pedro e João, corrida que conduz ao primeiro pensamento sólido sobre a ressurreição. Depois dessa corrida, as lágrimas de Maria nos colocam diante de uma troca afetiva de cumprimentos que revelam a certeza da ressurreição: "Maria... Raboni — meu Mestre querido!".

Não existe diploma de formação espiritual

À medida que lemos os quatro relatos da ressurreição e neles meditamos, a sensação de deslumbramento vai se acumulando dentro de nós. As quatro histórias são lacônicas, compactas e narradas com economia de detalhes. Aqui não há espaço para nada complexo. Mas nesse solo de austeridade na narrativa nascem alguns elementos, e eles são importantes quando refletimos sobre nossa formação-via-ressurreição.

Em primeiro lugar, por mais que nos séculos anteriores tenha havido pistas, dicas e sinais da ressurreição em meio à vida hebraica, do Mediterrâneo e do Oriente Próximo, quando ela aconteceu, todos os que estavam próximos dessa realidade e mais bem preparados não tinham a menor consciência dela. Acho isso importante. Nunca estamos em condições de saber muita coisa sobre a formação-via-ressurreição. Não é algo que se compare ao que nos é conhecido nem que venha em decorrência de algum conhecimento

— quer seja, por exemplo, pelo desenvolvimento psicológico, quer seja pela metafísica moral.

Em segundo lugar, é óbvio que ninguém fez nada para se preparar para o que realmente aconteceu. Não é algo que estava dentro de uma disposição baseada em expectativas. Os dois grupos religiosos da época que mais trabalhavam no preparo do solo messiânico e da ressurreição — os fariseus e os essênios — foram justamente os que estavam olhando para a direção contrária e não entenderam nada do que aconteceu. Nesse assunto, todos são meros iniciantes. Não há especialistas.

Isso nos deixa mais do que desconcertados quando olhamos para o cuidado com que costumamos organizar, planejar e preparar coisas grandes e importantes. Não existe diploma de formação espiritual. Não temos muito controle sobre nada disso, se é que temos algum.

Em terceiro lugar, as pessoas marginalizadas pela cultura — nesse caso, as mulheres — desempenham um papel de destaque por causa de sua percepção e da forma como reagem. Mesmo que líderes importantes como Pedro e João não fiquem de fora, Maria Madalena — talvez a mais marginalizada entre os primeiros seguidores de Jesus — é a principal testemunha da ressurreição, e só ela aparece no relato dos quatro evangelhos. A única informação que temos sobre Maria Madalena antes de sua decisão de seguir Jesus é que ela tinha "sete demônios" e havia sido libertada deles.

Os "sete demônios" podem ser uma referência a uma vida moral completamente desregrada ou a um tipo de doença mental grave. Quer ela tivesse um quer ambos os problemas antes de conhecer Jesus, a questão é que isso, aliado ao fato de ser mulher numa sociedade patriarcal, fazia que ela fosse radicalmente marginalizada.

Isso nos deixa mais do que desconcertados quando olhamos para a importância que conferimos ao apoio de pessoas famosas em nossa sociedade. É bem provável que os homens e mulheres mais valorosos para nossa formação espiritual pela via da ressurreição sejam pessoas que estão à margem da respeitabilidade: os pobres, as minorias, os que sofrem, os rejeitados, os poetas e as crianças.

Em quarto lugar, a ressurreição foi algo discreto que aconteceu num lugar silencioso sem publicidade nem observadores. É claro que houve muita energia, muita emoção (lágrimas, pressa, perplexidade, desorientação e alegria), mas nada chamou a atenção dos que estavam de fora. (O terremoto mencionado por Mateus é em parte uma exceção. Mas os únicos que ficaram sabendo dele ou foram atingidos por seus efeitos foram os soldados romanos, que ficaram ali "anestesiados".)

Quando era moço, eu costumava tocar trompete. No estado de Montana, onde cresci, a Páscoa sempre acontecia sob os últimos efeitos do inverno. Todo domingo de Páscoa, eu me levantava às cinco, cinco e meia, seis horas para ir ao culto da ressurreição. Todo mundo queria ouvir alguém tocar trompete na Páscoa. Com os lábios amortecidos pela boquilha congelada, eu ficava tocando e desafinando em alguma colina da cidade. Mas o que importava é que isso fazia barulho. Se algo é importante, a gente faz que o mundo todo saiba dessa importância. É claro que não foi do texto dos evangelhos que a minha igreja tirou essa ideia.

Por causa de nosso costume de cercar eventos importantes com muita publicidade para chamar a atenção e por causa da importância que a ressurreição tem para o evangelho, isso é algo que nos deixa muito surpresos. Luzes brilhantes e som amplificado não fazem parte dos acessórios para a formação espiritual.

O encontro com o "algo mais"

O quinto elemento é o medo, o temor. Medo é a reação mais mencionada no contexto da ressurreição — seis vezes nos quatro relatos. Temos medo quando somos pegos de surpresa, desprevenidos, e não sabemos o que fazer. Temos medo quando nossas ideias e nossos conceitos não servem mais para explicar o que está diante de nós, e ficamos sem saber o que vai nos acontecer. Temos medo quando a realidade, sem aviso prévio, mostra-nos que ela é mais do que pensávamos.

Mas as seis referências ao medo aparecem dentro da tradição de contos na cultura e nas Escrituras hebraicas, e nesse contexto a palavra *medo* ou *temor* é empregada de uma forma que lhe dá um sentido muito mais amplo do que simplesmente ficar apavorado. Assim, a palavra inclui todas as emoções que surgem quando se fica apavorado — desorientação, incapacidade de saber o que vai acontecer em seguida e a constatação de que existe algo mais que não pensávamos existir. Mas esse "algo mais" é Deus.

Temor-do-Senhor é a expressão bíblica mais comum que traduz a percepção repentina ou gradual que a presença ou revelação de Deus introduz em nossa vida. Não somos o centro de nossa existência. Não somos a soma de tudo o que importa. Não sabemos o que está para acontecer em seguida.

Temor-do-Senhor deixa-nos em estado de alerta, de olhos bem abertos. Alguma coisa está acontecendo, e não queremos perder nada. Temor-do-Senhor é o que nos impede de pensar que sabemos todas as coisas. E, portanto, impede que fechemos nossa mente e nossa capacidade de perceber o que é novo. Temor-do-Senhor impede que nos comportemos com arrogância, destruindo ou violando algum aspecto do que é belo, verdadeiro ou bom e que nos passa despercebido ou fica acima de nossa capacidade de compreensão.

Temor-do-Senhor é medo sem o elemento do pavor. Por isso, ele muitas vezes vem acompanhado por uma palavra tranquilizadora: "Não temas". Mas esse "não temas" não é alguma coisa que acarreta ausência de medo; antes, ele transforma o medo em Temor-do-Senhor. Continuamos sem saber o que está acontecendo. Continuamos sem o controle da situação. Continuamos mergulhados num mistério profundo.

Nas histórias da ressurreição relatadas nas Escrituras, há seis ocorrências de palavras que derivam de medo, temor. Em duas ocorrências, o que se exprime é a sensação de terror: os soldados romanos diante do anjo que reluzia no túmulo vazio (ver Mt 28.4) e, mais tarde, as mulheres que, confusas, saíram correndo do mesmo túmulo (ver Mc 16.8). Em três ocorrências, o medo é amenizado por uma palavra que tranquiliza. Lucas relata que, na presença do anjo no túmulo, as mulheres se assustaram, mas foram logo tranquilizadas (ver 24.5). Em Mateus, primeiro o anjo e depois Jesus dizem às mulheres: "Não temais" (28.5,10). Entre essas duas ocorrências em Mateus, a palavra aparece transmitindo um sentimento de alegria reverente (ver 28.8).

Temor é acompanhado por várias outras palavras que evocam a sensação de deslumbramento — "surpreendidas" (Mc 16.5), "assombro" (Mc 16.8), "perplexas" (Lc 24.4), "amedrontadas" (Lc 24.5, NVI) e "maravilhado" (Lc 24.12). Na referência de Mateus, a mesma palavra *medo* é usada com sentidos diferentes, mas sem deixar o leitor confuso, e a clareza se deve ao contexto: "Quando os guardas viram o anjo, tremeram de medo e caíram desmaiados. Então o anjo falou com as mulheres: 'Não tenham medo'" (28.4-5, NVT).

Onde se erra na formação espiritual

A formação espiritual é algo que acontece na atmosfera da ressurreição, no ambiente desse "algo mais", em que precisamos cultivar reações de reverência e temor, para não correr o risco de perder a própria essência do que está acontecendo. Na linguagem que usamos para nos referir à formação espiritual na vida cristã, há muita superficialidade e muitas expressões que já se banalizaram. Mas as histórias da ressurreição estão mergulhadas em deslumbramento — deslumbramento motivado pela ressurreição.

Os cinco elementos surpreendentes que examinei aqui — falta de planejamento, inutilidade dos especialistas, destaque aos marginalizados, discrição e temor — dão ao deslumbramento uma bela textura. Não há nada que respeite nossas expectativas, principalmente as expectativas que criamos em torno de algo que consideramos importante e transformador para a vida. E se a ressurreição de Jesus é o que está no centro de nossa formação espiritual — e tenho certeza de que está —, então esse sentimento de deslumbramento tem um papel muito importante em tudo o que acontece. As pessoas ficam confusas, perplexas e surpresas. É Deus que está atuando em Jesus, em você e em mim.

Sem esse deslumbramento lidamos com a formação espiritual como se fosse um projeto que desenvolvemos por conta própria. Empregamos nossas técnicas. Fazemos nossas análises de dons e de potenciais. Fixamos metas. Medimos o progresso alcançado. A formação espiritual fica reduzida a elementos puramente cosméticos.

Sem esse deslumbramento, as energias que nos motivam na formação espiritual acabam vítimas da ansiedade e da culpa. Ansiedade e culpa têm o efeito de nos restringir e de nos fechar em nós mesmos. Elas nos isolam e fazem que nos sintamos incapazes e indignos, reduzindo-nos ao que existe de pior em nós. A formação espiritual se transforma em hiperatividade moral ou em competição religiosa.

A desconstrução do deslumbramento

Infelizmente, não vivemos num mundo que incentiva o deslumbramento diante da realidade. Mas o deslumbramento é algo natural e espontâneo no ser humano. Quando éramos crianças, vivíamos sempre deslumbrados. O mundo era novidade para nós, e ficávamos encantados com tudo o que acontecia na nossa frente. A cada dia nos maravilhávamos, pegando com as mãos, olhando, sentindo o gosto. As palavras eram fascinantes. Correr era fascinante. O toque, o paladar, o som, tudo era encantador. Vivíamos num mundo que nos deslumbrava.

Mas esse sentimento vai aos poucos se perdendo. Há várias explicações para isso, mas essa perda se dá principalmente à medida que ganhamos competência e controle sobre nós mesmos, sobre nossa coordenação e sobre nosso ambiente.

Quando chegamos à idade adulta, o ambiente de trabalho é onde essa diminuição do deslumbramento acontece de forma mais sistemática e completa. É difícil cultivar sentimentos de deslumbre no ambiente de trabalho. Os principais valores ali são conhecimento e competência. Ninguém quer ser surpreendido por nada. Ninguém quer perder tempo olhando fixamente para alguma coisa, enquanto se pergunta o que fazer com aquilo. Estudamos e mais tarde somos pagos para saber o que estamos fazendo.

Então, para a maioria de nós, na manhã seguinte à nossa conversão, acordamos e vamos trabalhar, tendo a sorte de não sermos atropelados pela carreta. Para a maioria de nós é o trabalho que nos empolga. Ele exige o máximo de nós e nos recompensa com reconhecimento e satisfação. Estamos realizando alguma coisa importante que faz diferença, que torna o mundo melhor e dá melhores condições de vida às pessoas. O trabalho nos torna úteis e nos garante o dinheiro necessário para cuidarmos de nós mesmos e dos que dependem de nós. O trabalho é uma coisa maravilhosa. Acima de tudo, estamos envolvidos na criação de Deus e no meio de suas criaturas.

Uma mudança sutil, mas trágica

Depois de algumas semanas ou meses de volta ao trabalho, os sentimentos, convicções e ideias que se aglutinavam em torno de nossa conversão passam a ser elementos secundários no palco onde o centro é ocupado pelo nosso trabalho com suas árduas exigências, fortes estímulos e grande satisfação.

Ao longo dessa nossa trajetória, a primazia de Deus e de sua atividade, mesmo que de modo superficial, começa a ser substituída pela primazia da *nossa* atividade no reino de Deus. Começamos a pensar em como Deus pode ser útil naquilo que estamos fazendo. A mudança é quase imperceptível, e até continuamos a usar o vocabulário próprio de nossa nova identidade. Continuamos crendo nas mesmas verdades. Continuamos a ter objetivos louváveis. Geralmente leva tempo até que a gravidade da mudança venha à tona. Mas quando isso acontece, percebe-se que não estávamos exatamente adorando a Deus, mas recrutando-o como um importante assistente que merece nossa confiança.

Em nosso trabalho, estamos lidando com aquilo que *nós* conhecemos, com aquilo em que *nós* somos especialistas. O que conhecemos é o nosso trabalho. Por que não pedir a Deus que nos ajude nisso tudo? Ele até recomenda que façamos isso, não é mesmo? "Pedi, e recebereis." Sim, tudo bem, ele recomenda mesmo. O problema é que, fora do contexto do deslumbramento da ressurreição, toda oração logo se torna um ato de idolatria pelo qual Deus é reduzido a algo que podemos usar para atingir nossos objetivos, por mais nobres e úteis que sejam eles.

Quase nunca nos ocorre que um comportamento tão piedoso, natural e de aparência tão inocente deva ser chamado idolatria. Ninguém pensaria em colocar no painel do carro uma imagem de São Cristóvão para proteger-se de acidentes, nem poria uma estatueta de um Buda barrigudo na sala de casa para dar fim ao corre-corre atrás de ilusões, nem plantaria no quintal um arvoredo dedicado a Aserá, deusa cananeia da fertilidade, a fim de que sua horta produza tomates maiores ou para que nasçam mais bebês. Mas tudo é idolatria. É usar Deus em lugar de adorar a Deus. No princípio não se trata da expressão máxima da idolatria, mas são os seus germes que se proliferam no ambiente de trabalho.

Caminhando pelo atoleiro nosso de cada dia

Para outros entre nós, o trabalho ao qual retornamos depois de nossa conversão — tendo levado o azar de não sermos atropelados pela carreta — é a mais plena expressão da tortura. É aquele trabalho sem graça, que nos enche de tédio, para onde nos arrastamos dia após dia, semana após semana. Nas primeiras semanas, a nova realidade que temos em Cristo elimina o fardo e o tédio do ambiente de trabalho. Nossos lábios murmuram orações silenciosas até enquanto estamos conversando com os outros. Hinos de louvor não saem de nossa cabeça. Vemos tudo e todos com outros olhos. Somos novas criaturas que agora vivem num mundo deslumbrante.

Então, chega o dia em que percebemos que as coisas "que se tornaram novas" quando nos convertemos não incluem o trabalho. Continuamos no mesmo trabalho de antes, um verdadeiro beco sem saída, e estamos ali há dez, vinte, trinta anos. Com as forças renovadas e com o senso de identidade e propósito singular gerado pela nossa conversão, olhamos para os lados procurando uma saída. Começamos a criar fantasias, imaginando algum emprego que nos permita trabalhar de todo o coração, e aqui entra aquela frase maravilhosa: "para a glória de Deus". Algumas pessoas arriscam tudo e chutam o pau da barraca. Mas a maioria não faz isso. Temos a prestação da casa própria para pagar e filhos para mandar para a escola. Não temos o preparo nem os estudos necessários. Nosso cônjuge está satisfeito com a situação e não quer pôr em risco a segurança da família. Então acabamos aceitando o fato de que não há saída e voltamos a caminhar pelo atoleiro nosso de cada dia no meio do tédio de nossa rotina.

Idolatria cristã

Mas também procuramos formas de afirmar e cultivar nossa nova vida em Cristo fora do ambiente de trabalho. E, para nossa alegria, logo descobrimos que há várias opções. Existe um mercado religioso que atende às necessidades e realiza as fantasias de pessoas exatamente como nós. Há congressos e conferências para todos os gostos que nos dão a injeção de ânimo de que precisamos. Há livros, vídeos e seminários que prometem nos dar a "solução" cristã para qualquer coisa que nos esteja faltando na vida — na área de finanças ou de criação de filhos, formas cristãs de emagrecer, felicidade na vida sexual, turismo para locais sagrados, cultos empolgantes, mestres e pastores famosos. As pessoas que divulgam esses produtos e serviços são todas sorridentes e de boa aparência. *Elas* com certeza não estão entediadas.

Rapidamente entramos na fila para comprar qualquer coisa que nos seja oferecida. E como nenhuma das aquisições nos dá o que esperávamos, ou pelo menos não por muito tempo, logo nos vemos novamente comprando outra coisa, e mais outra, e mais outra. Esse é um processo que causa dependência. Acabamos nos transformando em consumidores de produtos da indústria da espiritualidade.

Isso também é idolatria. Nem mesmo pensamos em usar esse nome, pois tudo o que estamos comprando se qualifica pelo adjetivo *cristão*. Mas não deixa de ser idolatria. É Deus industrializado como se fosse um produto — Deus despersonalizado e oferecido como uma técnica ou um programa. O mercado cristão de ídolos nunca foi mais cintilante nem mais lucrativo. As indulgências da Idade Média que provocaram a justa indignação de Lutero são cafés pequenos se comparadas com o que hoje acontece no quintal dos evangélicos.

Intolerância ao mistério

Todo cristão, seja homem, seja mulher, que sai de casa de manhã para trabalhar entra num mundo em que a idolatria é a principal tentação que pode afastá-lo ou afastá-la da nova vida formada pela via da ressurreição e que conduz à semelhança com Cristo.

Posso pensar numa infinidade de variações e combinações nos ambientes de trabalho, tanto nos "bons" quanto nos "ruins". Mas se trabalhamos, e a maioria de nós trabalha, a possibilidade de idolatria está sempre presente. (Crianças, idosos, inválidos e desempregados são logicamente exceções.) Na maioria de nossos dias e na maior parte das horas desses dias vivemos num mundo mergulhado na produção e na compra de ídolos.

A maioria de nós passa muito tempo no trabalho, e isso significa que nossa identidade cristã está sendo formada, em grande parte do tempo, num clima de incompatibilidade, ou mesmo de franca hostilidade — num clima caracterizado pela intolerância ao mistério (conhecimento e técnica são sempre exigidos no trabalho). Nossa competência e capacidade de manter o controle das coisas são sempre recompensadas (incompetência e incapacidade de manter o controle nos fazem ser demitidos em pouco tempo). E os relacionamentos pessoais são subordinados e adaptados à natureza do trabalho realizado.

A tecnologia é o principal garoto-propaganda da idolatria de nossos dias. Isso não é mesmo uma ironia? A idolatria, sempre associada, pelo menos na imaginação popular, com a superstição — coisas da mente obtusa, desinformada, infantil e primitiva com seus mitos e crenças — agora se vê recebendo uma nova oportunidade na vida com a ajuda da tecnologia, associada com a pesquisa científica e lógica que usa a linguagem puramente matemática para criar um mundo de computadores que dominam o ambiente de trabalho e diante dos quais praticamente todo mundo se curva em sinal de respeito e reverência. As *coisas* impessoais que dominam nosso tempo e nossa mente fazem incríveis promessas de controle e conhecimento. Mas elas também fazem que todo senso de mistério, fascínio e reverência seja eliminado de nossa vida.

O ambiente de trabalho sempre representou ameaça para a formação espiritual porque é nesse ambiente que quase nunca ficamos deslumbrados. O deslumbramento é, por princípio, praticamente abolido. No trabalho, sabemos que somos competentes ou que estamos entediados e desatentos. Na cultura de hoje, a ameaça representada pela vida cada vez mais destituída do sentimento de deslumbre alcança níveis antes nunca vistos.

É por isso que a formação cristã — a formação--via-ressurreição — requer vigilância permanente. O ambiente de trabalho é a arena em que a idolatria é constantemente reconfigurada, colocando-nos em situações em que assumimos o controle e oferecendo--nos coisas e sistemas que nos permitem exercer nossos dons e implementar nossas estratégias neste mundo.

O deslumbramento, aquela disposição no meio da perplexidade que nos faz parar o que estamos fazendo e ficar de olhos abertos e de mãos estendidas, prontas a receber aquele "algo mais", não é um sentimento incentivado no ambiente de trabalho.

O cultivo do deslumbramento
motivado pela ressurreição

Será que isso significa que suspendemos a formação espiritual durante o expediente de trabalho e a reativamos quando vamos para casa e nos finais de semana? Não é isso que eu penso.

Aqui está a coisa que mais impressiona nisso tudo: a primeira cena na ressurreição de Jesus acontece no ambiente de trabalho. Maria Madalena e as outras mulheres estão a caminho do trabalho quando deparam com a ressurreição de Jesus e se rendem a ela. Estou pronto a defender a ideia de que o principal local para a formação espiritual — para a formação--via-ressurreição — é o local de trabalho.

Então, trabalhando para nos sustentar e passando uma enorme parcela de tempo toda semana no trabalho, num ambiente hostil ao deslumbramento, como podemos ter condições de cultivar o deslumbramento motivado pela ressurreição, que é o solo onde floresce a formação espiritual?

Para quem leva a Bíblia a sério como o texto para a nossa formação espiritual, a resposta é inequívoca: preservando a santidade do sábado. Essa é a prática central firmada nas Escrituras e respeitada pela igreja que cultiva o deslumbramento.

Você já percebeu que os primeiros que participaram da ressurreição tinham acabado de passar o dia anterior guardando o sábado? Na noite da sexta-feira, pouco depois de tirarem Jesus da cruz e de o colocarem no túmulo de José, judeus piedosos em Jerusalém, Nazaré, Belém, Cafarnaum, Alexandria, Babilônia, Atenas, Roma — judeus de toda parte — acenderam duas velas e saudaram o sábado com as seguintes palavras: "Bendito és tu, ó Deus, Rei do universo, que nos santificaste pelos teus mandamentos e nos ordenaste que acendêssemos as luzes do sábado".

Uma das velas era acesa por causa do mandamento em Êxodo, que diz: "Lembra-te do dia de sábado, para o santificar. [...] não farás nenhum trabalho [...] porque, em seis dias, fez o SENHOR os céus e a terra, o mar e tudo o que neles há e, ao sétimo dia, descansou" (Êx 20.8,10-11).

A outra vela era acesa por causa do mandamento em Deuteronômio, que diz: "Guarda o dia de sábado, para o santificar [...] não farás nenhum trabalho [...] porque te lembrarás que foste servo na terra do Egito" (Dt 5.12,14-15).

No fim da tarde do sábado, repetia-se a oração, acendiam-se novamente as velas, e a oração final, chamada Havdalá, encerrava o dia sagrado de descanso.

O costume de guardar o sábado

Não sabemos exatamente o que Maria Madalena, a outra Maria, Joana e Salomé, Pedro, João e os outros seguidores anônimos fizeram durante as vinte e quatro horas que passaram guardando o sábado. Mas não parece razoável supor que tenham descartado o costume que haviam preservado durante toda a vida. Afinal de contas, eles eram judeus piedosos. A cidade inteira estava guardando o sábado naquele dia, e eles também deviam estar fazendo o mesmo. Também não é provável que tenham ido à sinagoga. Os líderes contrários a Jesus estavam lá, e os discípulos não se sentiriam acolhidos e até colocariam a vida em risco. Sabemos de uma coisa que eles não fizeram, apesar da urgência e da disposição que tinham para fazê-lo: embalsamar o corpo de Jesus. E não o embalsamaram porque estavam se lembrando da obra de criação de Deus e da libertação da escravidão no Egito.

Não estou dizendo que eles tenham conversado ou orado a respeito dessas coisas de forma planejada como, por exemplo, por meio de um estudo bíblico. O que estou imaginando é que o costume de guardar o sábado estava atuando no subconsciente deles, dando-lhes uma consciência implícita da grandeza de Deus em atividade no mundo e de um Deus pessoal que estava agindo em favor deles. O que penso é que o fato de guardarem o sábado os colocou num contexto bem mais amplo dos acontecimentos da sexta-feira conforme relatados por eles ou denunciados por seus sentimentos de grande tristeza e decepção. Durante as vinte e quatro horas daquele sábado, a enorme catástrofe da crucificação, o horror e a devastação que tudo aquilo representava começaram a ser conciliados dentro do contexto mais amplo da atividade de um Deus que criou o mundo e da salvação de um Deus que fez o homem. Nada do que eles pudessem ou quisessem fazer era mais importante do que aquilo que Deus havia feito e estava fazendo na criação e na salvação, conforme destacados nos mandamentos de Êxodo e de Deuteronômio, os quais haviam sido absorvidos e interiorizados durante uma vida inteira de observância do sábado.

Portanto, quando saíram para o trabalho na manhã seguinte, depois de guardar o sábado, levaram consigo uma percepção de Deus profundamente desenvolvida, uma capacidade para reagir com deslumbramento e surpresa aos mistérios que lhes escapavam ao entendimento e lhes eram imprevisíveis. O ato de guardar o sábado era para eles como uma faxina semanal. E assim podiam começar a nova semana de trabalho sem estar entulhados de ídolos — todas aquelas tentativas sutis mas obcecadas de nos darmos um deus, uma rotina ou um programa que possamos controlar ou usar e que diariamente chegam de fora e deixam marcas em nossa vida. Para eles, o ato de guardar o sábado permitia-lhes desligar-se um pouco do mundo com seu jeito de fazer as coisas e de sua própria compulsão de assumir o controle. Guardar o sábado — dia em que assumiam o compromisso de não fazer coisa alguma para poderem estar livres para ver e reagir ao que Deus é e ao que ele está fazendo — foi fundamental para a formação-via-ressurreição daquelas cinco mulheres citadas pelo nome e dos dois homens que aparecem na narrativa dos evangelhos.

Deus no ambiente de trabalho

Para que tenhamos capacidade de ver Deus em atividade em nosso ambiente de trabalho, algo que certamente ele está fazendo, reagindo fascinados e atônitos, é necessário que nos desliguemos um pouco desse ambiente de trabalho. Como podemos cultivar esse desligamento? Guardando o sábado.

Longe do trabalho e de seu ambiente não é possível compreender o caráter nem a importância do sábado. O trabalho e o sábado não estão um em oposição ao outro. Ambos fazem parte de um organismo — um fica mutilado ou incapacitado sem o outro.

O jeito mais simples de entender isso é observando que Deus surge na primeira página das Escrituras como um trabalhador. Vemos Deus trabalhando em seu ambiente de trabalho. Isso é de enorme importância. Nossa primeira visão de Deus não é uma abstração — um poder superior, um amor eterno ou um ser puro —, mas é a visão de um criador que está criando o ambiente de trabalho em que todos nós continuamos a trabalhar: luz para iluminar, o chão debaixo de nossos pés, o céu lá no alto, plantas e árvores que cultivamos, as estações do ano, peixes, aves e animais da cadeia alimentar. À medida que Deus trabalha durante os dias da semana, os detalhes vão surgindo um após o outro, e então vem o refrão: "E viu Deus que isso era bom". Bom, bom, bom... ouvimos essas palavras sete vezes durante os seis dias. "E viu Deus que isso era bom." A sétima e última afirmação é superlativa: "[...] e eis que era muito bom" (Gn 1.31). Um trabalho bom e um ambiente de trabalho igualmente bom.

E daí vem o sábado. Mas não antes disso. Não podemos entender corretamente o sábado longe do trabalho, nem fazer corretamente nosso trabalho à parte do sábado. Em um de seus poemas sobre o sábado, Wendell Berry coloca em harmonia o dia de trabalho e o sábado:

[...] o dia de trabalho
E o sábado convivem no mesmo lugar.
Ainda que mortal, incompleta, essa harmonia
É nossa única chance de paz.[3]

O sábado é o último dia de uma série de dias de trabalho, e Deus declara que todos eles são bons. O contexto em que o sábado aparece é de um trabalho que se destaca pela tríplice repetição das frases "... a sua obra, que fizera" (Gn 2.2), "toda a sua obra que tinha feito" (2.2) e "toda a obra que, como Criador, fizera" (2.3). Mas a natureza distintiva do sábado se entende pelo uso de quatro verbos: Deus *terminou* o seu trabalho [...] *descansou* [...] *abençoou* o sábado e o *santificou*.

Todos esses verbos nos colocam além do ambiente de trabalho em si. No trabalho existe mais do que trabalho — existe Deus: o Deus que termina, o Deus que descansa, o Deus que abençoa, o Deus que santifica. O trabalho não é tudo na vida. Mas, sem o sábado, quando Deus está acima do ambiente de trabalho (mas não fora dele), logo o trabalho se esvazia de todo senso da presença de Deus. O trabalho torna--se um fim em si mesmo. É esse "fim em si mesmo" que faz do trabalho sem o sábado um solo fértil para o surgimento de ídolos. Criamos ídolos em nosso trabalho quando reduzimos nossos relacionamentos a funções que podemos gerenciar. Criamos ídolos em nosso trabalho quando reduzimos nossa atividade às dimensões de nosso ego e de nosso controle.

Uma franca abertura para Deus

Nos dias atuais, o mundo secular tem dedicado uma boa dose de atenção à observância do sábado. As empresas têm descoberto seus benefícios para a saúde, para os relacionamentos e até para a produtividade no trabalho. Artigos e livros são escritos para divulgar o ótimo retorno que advém do descanso, do fim da compulsão para o trabalho e assim por diante. Tudo isso pode ser verdade. Mas não é por isso que guardamos o sábado. Nosso maior interesse não está numa vida mais longa, na maturidade emocional ou num jogo de futebol mais agradável. Nosso interesse concentra-se em Deus e em Cristo sendo formado em nós. Estamos interessados na formação espiritual pela via da ressurreição.

O que importa no sábado não somos nós ou como ele nos faz bem. O que importa é Deus e como ele está nos formando. Não se trata primordialmente do que fazemos ou deixamos de fazer. Trata-se de Deus, que termina, descansa, abençoa e santifica, e essas são coisas que não conhecemos direito. Elas estão acima de nós, mas não acima de nossa capacidade de reconhecê-las e de participar delas. O sábado significa parar e aquietar-se o tempo suficiente para enxergar com aquela expressão de deslumbramento — deslumbramento motivado pela ressurreição. Quando, deslumbrados, colocamo-nos em franca abertura para o que está acima de nós, nossa vida passa a ser formada por aquilo que não podemos fazer e pelo que está fora de nosso controle. Correspondemos e tomamos parte no que Deus continua a fazer no âmago e no contexto de nosso trabalho e do ambiente em que ele é realizado. O nome que os cristãos dão a isso é ressurreição.

Jesus disse: "A comida está servida".
Nenhum dos discípulos ousava perguntar:
"Quem é você?" Eles sabiam que era o Senhor.
Jesus, então, tomou o pão e o deu a eles.
Fez o mesmo com os peixes.

JOÃO 21.12-13, MSG

2
Ressurreição, comida e bebida

Faz algum tempo, minha amiga Brenda pegou um avião e foi para Chicago visitar sua filha casada, mas principalmente a netinha Charity, uma menina de cinco anos, gordinha, linda e falante. A avó paterna de Charity havia estado lá fazendo uma visita de uma semana. Ela é uma mulher muito religiosa e leva a sério seu papel de avó e suas responsabilidades espirituais para com a netinha. E tinha ido embora havia bem pouco tempo.

Na manhã seguinte à chegada de Brenda, Charity foi ao quarto da avó às cinco da madrugada e, engatinhando sobre a cama, chegou perto dela e disse:

— Vovó, não vamos ter nenhuma conversa sobre Deus, tá bom? Eu acredito que ele está em todo canto. Vamos só tocar a vida.

Gosto de Charity. Acho que ela percebe as coisas.

"Vamos tocar a vida" pode servir como uma espécie de subtexto para nós que buscamos nossa formação espiritual e tão fácil e frequentemente vemos o espiritual se desligar da realidade de nosso dia a dia, deixando-nos com uma conversa sobre Deus vazia de sentido.

Não que a conversa sobre Deus não seja expressão da verdade, mas quando ela se desliga de nossas conversas e do comportamento normal que compõem o tecido de nossa vida, a verdade se esvai. A expressão de Salmos 116.9 — "andarei na presença do Senhor na terra dos viventes" — dá clareza e perspectiva à sugestão de Charity, "vamos tocar a vida".

Quando Deus é desligado da vida

Algo que nos acontece com relativa frequência é o desligamento entre nossa identidade cristã e Deus, entre nossos amigos e Deus, entre nosso trabalho e Deus. Quando isso acontece, a vida se esvai e sobra só conversa sobre Deus. É como se houvesse um vazamento de vida e nós ficássemos semelhantes a um pneu murcho.

Interpreto o pedido que Charity fez à avó às cinco horas da manhã como o diagnóstico de um jeito de viver que de alguma forma faz com que Deus e a vida se desliguem e acabem separados em duas categorias distintas. Ela sentiu falta de alguma coisa no modo como a primeira avó falava sobre Deus e, por isso, tinha esperança de que a outra avó não fizesse o mesmo. Imagino que Charity sentiu falta de algo que chamamos vida — *a Vida*. Vamos tocar a vida.

Seria possível interpretar as palavras de Charity de forma bem diferente da que estou propondo aqui. É possível que ela estivesse dizendo que Deus está em segundo plano no cenário da vida — em segundo plano no cenário inteiro — mas apenas em segundo plano. "O que importa sou eu. Aquilo que estou pensando, fazendo e querendo é o que está em primeiro plano. Assim, vamos tocar o que é importante para mim agora — viver do *meu* jeito, viver pela *minha* agenda. Deus é um dado que se admite. Ele não precisa ser consultado, e não precisamos ficar conversando sobre ele. Nós estamos... eu estou... é agora que a ação acontece. Vamos tocar a vida."

Se pronunciadas por alguém com 17, 36 ou 52 anos de idade, é provável que esse fosse o sentido daquelas palavras. É o que muitas pessoas, ou até a maioria delas, querem dizer quando falam em "tocar a vida" ou usam expressões semelhantes. E o que geralmente fica nas entrelinhas é o seguinte: "Vamos deixar Deus de fora disso. Não precisamos complicar as coisas com essa conversa toda sobre Deus".

Mas, como eu conheço um pouco a Charity, acho que tenho condições de interpretá-la de modo mais favorável. Acho que ela estava pedindo à sua outra avó um relacionamento em que Deus não fosse despersonalizado e transformado em conversa sobre Deus, mas um relacionamento em que ele fosse uma presença pessoal e diária para as duas — que Deus e a vida estivessem ligados organicamente nas interações do dia a dia.

Charity ainda está naquela fase da infância em que não se tem consciência de si mesmo, marcada pela espontaneidade, num mundo em que tudo é direto, pessoal e relacional. Mas não levará muito tempo para que esse vínculo relacional e a proximidade pessoal comecem a se afastar de Charity. E quando isso acontecer, ela vai precisar de ajuda. As palavras terão sido transformadas em ideias abstratas, em vez de metáforas funcionais. As pessoas acabarão se tornando funções ou papéis, em vez de gente e de relacionamentos vivos. Quando isso acontecer — e é certo que vai acontecer bem antes de ela ser avó —, ela vai precisar de alguém que chame sua atenção e diga: "Charity, não vamos ter nenhuma conversa sobre Deus, tá bom? Eu acredito que Deus está em todo canto. Vamos apenas tocar a vida".

Testemunhas da vida na presença da morte

É nisso que desejo insistir quando falo de nossa identidade cristã, de nosso crescimento e formação como cristãos, à medida que Cristo vai se formando em nós. Nossa vida, nossa formação-via-ressurreição, depende de mantermos essa ligação orgânica e fundamental entre Deus e a vida — na terra dos viventes. Estamos aqui para dar testemunho sobre a fonte da vida, para falar como ela se desenvolve e como fazemos para ingressar nela. E protestaremos quando observarmos que nossa linguagem e forma de perceber a vida estão se desligando do Deus vivo, entrando num processo de degeneração ou desintegração que as transforma em conversa sobre Deus, em conversa sem vida.

Quando a Charity estiver com trinta anos de idade e esse desligamento for realidade para ela, fico pensando sobre quem estará por perto para ajudá-la. Uma criança? É bem possível que sim. As crianças têm importantes testemunhos para dar sobre essas questões. Foi Isaías quem disse em poucas palavras: "um pequenino os guiará" (11.6). Tempos depois, Jesus ratificou a visão de Isaías quanto ao papel essencial que as crianças exercem nos assuntos pertinentes ao reino (ver Mt 18.1-6; Mc 10.13-16). Elas são nossa principal defesa para que não comecemos a morrer e a murchar como efeito do desligamento entre Deus e a vida. Se não houver nenhuma criança por perto para ajudar a Charity aos trinta anos, talvez o pastor dela possa servir. Muito embora o histórico dos pastores nesse particular não nos leve a apostar muito nessa possibilidade. Mas quem sabe? As testemunhas da ressurreição aparecem entre homens e mulheres os mais improváveis, e muitas vezes nas horas e lugares menos esperados. No primeiro século, quem pensaria em apostar que Maria Madalena teria aquela participação tão especial?

É impressionante como a conversa que Charity teve de madrugada com a avó sonolenta me faz lembrar da expressão maravilhosa do salmo: "Andarei na presença do Senhor, na terra dos viventes". E o que é mais interessante é que esse testemunho de vida está embutido num conjunto de referências à morte. Participamos da vida e é dela que testemunhamos, mas estamos cercados pela morte, que nos ameaça. Nas linhas que precedem a expressão "terra dos viventes", o salmo 116 descreve a ameaça da morte:

> A morte me olhou de frente e quase me levou no seu laço;
> fiquei completamente dominado pelo medo do Sheol,
> e o desespero e a tristeza me dominaram.
> Então, clamei pelo nome do Senhor:
> "Ó Senhor, salve a minha *vida*!"
>
> (v. 3-4, NBV, itálicos acrescentados)

A tônica do salmo está na *vida* — a minha vida, a nossa vida. Cada pessoa que tem a vida ameaçada pela morte — aquela que encontramos na rua, ou a que trabalha conosco, a pessoa que se senta a nossa mesa para o café da manhã ou com quem almoçamos, a que chega para o jantar, a que se senta nos bancos da nossa igreja... "salve a minha vida".

Todos os que nos cercam estão biologicamente vivos, alguns mais, outros menos. A biologia é parte de nossa vida, mas não é a principal. Coração, pulmões, cérebro, rins, sangue, músculos — todos esses elementos fornecem apenas a carcaça para a vida. A parte principal é Deus — a verdade, a beleza e a bondade de Deus nas quais estamos imersos como peixes que nadam no fundo do mar; a salvação de Jesus que divide a história entre antes e depois, tanto a história mundial quanto a nossa história como pessoas; a presença de Deus em nossa vida por intermédio do Espírito Santo, abençoando-nos e nos afirmando, quer estejamos conscientes disso, quer não, e quase nunca estamos; a revelação de Deus nas Escrituras, para que saibamos e participemos do que está acontecendo.

Viver, conquanto nossos pulmões estejam funcionando e o coração esteja batendo, é algo que tem a ver muito mais com Deus do que com qualquer outra coisa. E é por isso que somos cristãos — para participar e dar testemunho dessa verdade.

A vida na terra dos viventes

A expressão do salmista, "andarei na presença do SENHOR na terra dos viventes", surge de um contexto marcado pela morte: "laços de morte" e "cordas da morte" (NVI). Nesse breve salmo 116, há treze referências a elementos que ameaçam a vida: laços de morte, angústias do inferno, tribulação, tristeza, salva a minha vida, prostrado, morte, lágrimas, queda, aflito, perturbação, morte de seus santos, minhas cadeias. É uma quantidade bem considerável de problemas. E é nesse contexto que nos encontramos. A terra dos viventes é um território bem perigoso. Muita coisa acaba dando errado. Problemas aparecem por todo lado. E a ressurreição acontece no território da morte.

É óbvio que a terra dos viventes não é nenhum paraíso. Parece mais um campo de batalha. E é aí que nós, cristãos, estamos posicionados, junto com as crianças, para declarar a primazia da vida sobre a morte, para dar testemunho da preciosidade da vida e do fato de que ela acontece em ligação com outros elementos, para nos envolver na prática da ressurreição.

E fazemos isso por meio de nossas reuniões em comunidades que prestam culto ao Deus que concede vida, ao Cristo que derrota a morte e ao Espírito Santo que faz nossa vida ser plena. Fazemos isso por meio da leitura, da meditação, do ensino e da pregação da palavra da vida revelada nas Escrituras. Fazemos isso por meio do batismo de homens, mulheres e crianças em nome da Trindade, dando-lhes as condições para uma vida motivada pela ressurreição. Fazemos isso quando ingerimos a vida de Jesus por meio do pão e do vinho da Ceia do Senhor. Fazemos isso quando damos comida aos que têm fome, vestimos os que não têm roupa, acolhemos os estrangeiros, curamos os doentes, lutamos por justiça, amamos nossos inimigos, criamos nossos filhos e fazemos o trabalho do dia a dia para a glória de Deus.

Quando olho para uma lista como essa, a primeira coisa que chama a minha atenção — e espero que a sua também — é que todas essas coisas são bem comuns.

Não é necessário muito estudo nem muito talento para fazer qualquer uma delas. Não é preciso estudar como um neurocirurgião nem como um pianista de orquestra sinfônica. Com exceção da pregação e dos sacramentos, as crianças podem fazer as outras coisas tão bem, ou quase tão bem, quanto qualquer um de nós. Mas — e aqui está o que importa — todas essas coisas são atividades que dão testemunho da vida e afirmam seu valor. E se a vida se esvai, não sobra nada. É só conversa sobre Deus.

Ao realizarmos essas atividades que dão vida e a afirmam, atividades que derivam de nossa identidade cristã, é com grande facilidade e frequência que nos distraímos e nos desviamos da própria vida, do próprio Deus vivo. É bem difícil permanecer centrados e ocupados com nosso trabalho de dar testemunho da vida e de afirmá-la. Continuamos a desempenhar aquela série de atividades no trabalho e nas conversas que listei, e até mais do que aquilo. Mas estamos continuamente debaixo da ameaça da morte, correndo o risco de nos desligar da vida, das pessoas e de Deus, ficando somente com os movimentos biológicos — com todo aquele maneirismo verbal e sem participar da própria vida.

A perda da identidade firmada na ressurreição

Nossa identidade cristã entra em crise por efeito de nossa desatenção ou porque nos desviamos do principal. E essa é uma crise muito comum em nosso meio. Nossa ligação fundamental com a vida é atingida, e começamos a emprestar nossa identidade de terapeutas, artistas, executivos, políticos, pastores e professores, homens e mulheres que parecem estar na linha de frente e fazendo diferença neste mundo.

Por isso, quero aqui reafirmar a identidade principal que recebemos pela ressurreição de Jesus. Essa identidade é alimentada e chega à maturidade em nossa formação-via-ressurreição.

Uma coisa curiosa, mas que acontece com grande frequência, é que os cristãos sempre começam bem, mas aos poucos vão piorando. Em vez de avançarmos como um peregrino, vamos para trás. Pense nos cristãos que você realmente admira. A maioria deles não é de pessoas que se converteram há pouco tempo? Isso não é empolgante? Agora pense nos cristãos que o fazem morrer de tédio. Não são pessoas que se converteram há quarenta, cinquenta anos? Elas estão envelhecendo — não apenas fisicamente, mas em todos os sentidos. É claro que há exceções.

Perdemos nossa vitalidade e nossa sensibilidade. Continuamos em atividades de afirmação da vida e que trazem honra a Cristo, mas nosso coração está longe de tudo isso. Quase nunca o movimento de retrocesso é radical ou repentino. Começamos com vida, vida, vida e mais vida. Deus é fundamental e está presente em tudo o que fazemos. Mas, então, enquanto estamos felizes e inocentes fazendo nosso trabalho, nossos pés se enroscam naquelas cordas do Sheol, naqueles laços de morte. No começo é tudo tão casual, que dificilmente percebemos. Mas depois a corda se prende — quem sabe como? — dando meia-volta num tornozelo. Depois, outra volta, mais uma volta, e começamos a andar para trás. Ficamos com os movimentos presos e cada vez mais limitados. Perdemos a natureza direta, espontânea e exuberante da vida motivada pela ressurreição.

O que é curioso é que isso muitas vezes acontece justamente quando alcançamos o sucesso aos olhos de outras pessoas, de colegas, empregadores ou igrejas. Mas o que está havendo é um vazamento de vida. Deus e a vida foram desligados.

Usando a expressão de Charity, "vamos só tocar a vida", e a do salmista, "andarei na presença do Senhor na terra dos viventes", desejo continuar a construir uma barreira contra as forças que causam a erosão de nossa identidade firmada na ressurreição. Acho que essa é a coisa mais importante que podemos fazer. Mas a negligência dos cristãos é evidente. Uma rica tradição de formação-via-ressurreição encontra-se a nossa disposição — mas por que tão pouca gente está interessada? Já faz 43 anos que sou pastor, e fico impressionado com o número de pastores e pastoras que simplesmente não estão interessados. Há tantas outras coisas mais emocionantes para fazer. Mas esse é um trabalho delicado que exige paciência, cuidado, insistência e atenção permanente, e não estamos lhe dando a atenção de que ele precisa.

A rotina do comer e beber são elementos da formação

Quero tentar me livrar um pouco das cordas do Sheol que se prendem ao meu tornozelo por meio da atenção que posso dar às refeições ocorridas no contexto da ressurreição. Duas vezes a ressurreição de Jesus se revela na rotina do comer e beber. Dois autores dos evangelhos, Lucas e João, insistem na importância das refeições que se deram no contexto da ressurreição. A incalculável transcendência da ressurreição é assimilada num dos atos mais rotineiros da vida — fazer uma refeição. No meio dos cristãos há uma longa tradição, cuja forma e conteúdo são dados pelas Escrituras, em que o preparar, servir, comer e beber são elementos fundamentais para a vivência da ressurreição. Uma cultura em que falta hospitalidade é uma cultura que aponta para uma vivência da ressurreição marcada pela fome.

A refeição relatada por **Lucas** aconteceu no dia da ressurreição, depois de uma caminhada de onze quilômetros de Jerusalém até Emaús (ver 24.13-32). Duas pessoas, Cleopas e um amigo (ou, como pensam alguns, a esposa dele), são acompanhados por uma terceira que elas não reconhecem. O estranho que não foi reconhecido começa a conversar com elas.

É óbvio que o assunto da conversa era Jesus. É provável que tenha sido uma conversa longa da qual temos apenas um resumo. Minha estimativa é que eles tenham andado duas horas, ou talvez três. Faço esse cálculo baseado em minha experiência de caminhar com Jan, minha esposa. Quando andamos juntos e não conversamos muito, chegamos a um ritmo de quase cinco quilômetros por hora. Se conversarmos, nossa velocidade cai para menos de quatro quilômetros por hora. Jan e eu costumamos levar binóculos para apreciar a paisagem, o que reduz ainda mais nosso ritmo. Mas, se Jesus juntou-se àqueles dois após terem percorrido um ou dois quilômetros na direção de Emaús e eles andaram e conversaram durante os nove ou dez quilômetros restantes, isso nos permite chegar a alguma coisa entre duas e três horas. É tempo suficiente para um considerável aprofundamento na conversa.

Na presença da ressurreição

Lucas nos relata que a conversa girou em torno dos detalhes do julgamento e da crucificação de Jesus, pois tudo aquilo ainda estava muito vivo na lembrança deles. Conversaram sobre o que pensavam acerca de Jesus e sobre o que sentiam em relação a ele: a imensa autoridade e o senso da presença divina que associavam com sua figura. Eles o descreveram como "um profeta, que falava e fazia como ninguém" (v. 19, MSG). Falaram sobre as expectativas que tinham a respeito dele. Durante séculos, as esperanças semeadas pelos profetas e alimentadas nas orações, nos estudos e na vida fiel de várias gerações do povo hebreu haviam se acumulado e agora germinavam neles: "Tínhamos esperança de que ele fosse o Libertador de Israel" (v. 21, MSG). E, é claro, eles mencionaram os comentários que circulavam em Jerusalém: "Algumas das mulheres do nosso grupo nos deixaram confusos. Hoje, de manhã bem cedo, elas estiveram no túmulo. Não encontraram o corpo e voltaram com a história de terem visto anjos e que esses afirmaram que ele está vivo. Alguns dos nossos amigos foram ao túmulo para verificar e o encontraram vazio, como as mulheres disseram, mas não viram Jesus" (v. 22-24, MSG).

Até aquele ponto, a conversa havia estado nas mãos de Cleopas e do amigo. Jesus havia começado com suas perguntas, mas depois preferiu ouvi-los falando sobre ele. A dupla que seguia para Emaús não tinha a menor ideia de que a pessoa com quem estavam falando era também a pessoa de quem estavam falando. Eles estavam na presença da ressurreição, andando "na terra dos viventes", e não sabiam.

Quando Jesus entrou na conversa e começou a falar, ele pegou os fragmentos do que eles tinham falado e fez com que se encaixassem na grande e abrangente revelação registrada nas Escrituras. Então lhes mostrou, detalhe por detalhe, como aquilo que os havia deixado completamente baratinados e confusos fazia perfeito sentido quando visto e ouvido como parte do que Deus estava fazendo e dizendo o tempo todo. As Escrituras Sagradas oferecem orientação de grande alcance e coerência. Elas nos resgatam de jornalistas desatentos, esquecidos e esbaforidos que, gaguejando, pensam estar nos pondo em contato com o que é importante. À medida que ouviam Jesus expor as Escrituras naquele dia, os viajantes de Emaús perceberam que não estavam falando das últimas novidades, mas de coisas bem antigas. O quebra-cabeça começava a fazer sentido.

Que conversa foi aquela! Mais tarde, lembrando-se do que havia acontecido, eles disseram: "Não sentíamos um fogo enquanto ele conversava conosco no caminho, enquanto nos explicava as Escrituras?" (v. 32, MSG).

E então chegaram ao povoado de Emaús, destino da viagem. Cleopas e seu amigo insistiram que Jesus, que ainda não havia sido reconhecido, entrasse e jantasse com eles. Os três sentaram-se à mesa de jantar, e foi então que aconteceu: "[...] e o reconheceram" (v. 31). Ou, como mais tarde descreveram aos amigos em Jerusalém: "[eles] o reconheceram quando ele partira o pão" (v. 35, MSG).

A longa história cuja última palavra é glória

Sente-se à mesa no lugar do homem ou mulher cujo nome não é mencionado — aquele ou aquela que acompanhou Cleopas na viagem. Você está de novo em casa. Esteve fora durante vários dias para celebrar a Páscoa em Jerusalém — a grande festa da salvação dos hebreus, com toda emoção e energia que a acompanhavam. Desde pequeno você faz a mesma coisa todos os anos. O lugar e o ritual estão repletos de lembranças, histórias e canções. Esta é sua identidade como judeu. É quem você é. Você é o homem ou a mulher que Deus escolheu e que agora se reafirma e se fortalece como tal.

Mas então, de forma inacreditável, a semana sagrada é repentina e inexplicavelmente profanada, grosseiramente violada pela crucificação de um homem que você conhecia e a quem honrava de todo o coração. Ainda chocado por aquela morte sangrenta e cruel, você começa a ouvir boatos. Eles estão correndo por toda parte. É uma espécie de relato diferente de tudo o que você já ouviu — "a história de terem visto anjos e que esses afirmaram que ele está vivo" (v. 23, MSG). O que será que isso quer dizer? Naqueles dias em Jerusalém, você havia passado por muita coisa, desde comemoração até angústia e desorientação. Seu mundo havia saído dos eixos e estava fora de controle. Emocionalmente esgotado, você respirava aliviado porque estava indo embora de

Jerusalém. Era um alívio passar outra vez por aquela estrada a caminho de casa, longe da multidão, da violência e dos boatos, feliz por ter tempo e privacidade para conversar com Cleopas e tentar achar algum sentido para tudo aquilo.

Então um estranho junta-se a vocês, interessado no que estão dizendo. Ele entra na conversa e, para seu espanto, dá sentido àquilo tudo. Durante duas ou três horas enquanto caminham de volta para casa, vocês o veem tomar o caos dos últimos dias e, à semelhança do que Deus fez em Gênesis, colocar ordem na bagunça. Você nunca tinha ouvido as palavras das Escrituras proferidas de forma tão pessoal. Não sabia que suas próprias experiências, sobretudo experiências tão turbulentas, confusas, inexplicáveis e ligadas à morte como aquelas dos últimos cinco dias, faziam parte de uma longa história na qual a última palavra é glória (ver v. 26). Aquele homem havia criado com suas palavras um mundo no qual Deus, bem diante de você, estava fazendo tudo que você havia lido em Moisés e nos Profetas.

Dividido pelas emoções

Ao entrar em Emaús, você já está se sentindo mais calmo e dentro de seu estado natural. Três horas antes você havia saído de Jerusalém dividido pelas emoções. E agora, graças a um estranho, está se sentindo praticamente normal outra vez.

Já está tarde, e é quase hora do jantar. Você esteve fora durante uma semana ou mais. Não há nada em casa para comer. Ao passar por um local onde se vendem pães, você compra pão e convida o desconhecido para jantar. Depois de um pouco de insistência, ele aceita o convite. Você pega uma garrafa de vinho. Os três se sentam para um jantar simples à base de pão e vinho. Cleopas serve o vinho. Então o desconhecido faz um gesto que o deixa momentaneamente atordoado. *Ele* pega o pão e o abençoa. O seu convidado para o jantar torna-se o seu anfitrião. Depois de abençoar o pão, ele o parte e o entrega a você e a Cleopas. Então, e só então, você o reconhece. É Jesus, e ele está vivo. É a ressurreição.

João narra sua história de uma refeição no contexto da ressurreição em que o cenário foi a Galileia, mas não oferece detalhes sobre quando esse fato ocorreu (ver 21.1-14). Era a primeira refeição da manhã, feita ao ar livre numa praia da Galileia. Sete discípulos participaram dela. O nome de cinco deles é mencionado: Pedro, Tomé, Natanael e os filhos de Zebedeu (Tiago e João). Os outros não são mencionados pelo nome. Quatro discípulos estão ausentes, mas o motivo da ausência não é explicado.

Estas foram as circunstâncias em que ocorreu essa refeição no contexto da ressurreição na Galileia.

Havia pouco tempo, sete discípulos tinham saído de Jerusalém e já se encontravam de volta à Galileia, sua terra natal. Estavam ali cumprindo ordens do próprio Jesus ressurreto. Mateus é quem conta a história: Maria Madalena e a "outra Maria" estavam no túmulo vazio na manhã da ressurreição. Um anjo lhes disse que Jesus havia ressuscitado e que elas deviam ir e dizer aos discípulos que ele queria encontrá-los na Galileia. Ao correrem para levar as notícias, o próprio Jesus as cumprimentou. E disse-lhes a mesma coisa: "Vão dizer aos meus irmãos que eles devem ir para a Galileia, pois vou me encontrar lá com eles" (Mt 28.10, MSG).

Elas fizeram o que lhes havia sido dito. Jesus encontrou-os ali nas montanhas da Galileia, mesmo local onde lhes deu a comissão apostólica. Agora, por motivos que desconhecemos, sete dos onze discípulos estão de volta ao lugar onde pescavam — o mar da Galileia. Não é muito difícil imaginar o que pode ter acontecido. Pedro havia combinado com seus amigos que iriam passar a noite pescando. Depois de toda a intensidade e da emoção dos últimos anos com Jesus, a pesca ainda estava no sangue de Pedro. É possível imaginar que ele podia estar se sentindo perdido numa situação como aquela. Não importa o que ele e seus amigos pensassem sobre a ressurreição, o fato é que não estavam preparados para aquilo com que estavam lidando agora.

Redefinindo a ressurreição

A ressurreição, caso você acreditasse em sua existência, tinha a ver com a vida no além. Tratava-se de algo que iria lhe acontecer depois de sua morte e sepultamento, quando estivesse com Deus no céu para ali passar a eternidade. Mas a ressurreição de Jesus aconteceu aqui neste mundo. É óbvio que as primeiras testemunhas e pessoas que tiveram contato com sua ressurreição não estavam no céu. Elas estavam caminhando pelas mesmas estradas que cortavam o mesmo território onde haviam crescido, no mesmo lugar em que conversavam e trabalhavam com as mesmas pessoas com as quais viveram desde crianças.

E a ressurreição havia ocorrido com a pessoa de Jesus, que elas tinham visto morrer na cruz. Somos obrigados a procurar palavras adequadas para expressar a reação que elas tiveram — deslumbramento, espanto, perplexidade. Apesar de séculos de preparo, não estavam prontas para isso.

Agora, as coisas começavam a ficar claras para aqueles discípulos — lembre-se de que já se haviam passado alguns dias — e eles estavam percebendo que a ressurreição também lhes trazia implicações pessoais e para as circunstâncias da vida de cada um deles. Tenho a impressão de que lhes foi mais difícil processar essas implicações do que assimilar o próprio fato da ressurreição de Jesus. A ressurreição havia reconfigurado e redefinido radicalmente a pessoa de Jesus.

Ele era especial, é claro. Mas o conceito tão tradicional que os discípulos tinham da ressurreição como vida após a morte estava sendo totalmente redefinido como vida "na terra dos viventes".

Trata-se de algo bem radical, tão radical para mim e para você quanto foi para eles. Isso pode explicar — pelo menos é o que eu penso — por que os sete discípulos que eram ex-pescadores tinham saído para pescar aquela noite. Eles estavam começando a perceber que a ressurreição de Jesus tinha tudo a ver com a vida que cada um levava no dia a dia. Eles precisavam se habituar a essa reorientação e, portanto, mergulharam de volta na vida comum — no mesmo local de trabalho e no mesmo barco que lhes era conhecido. Não acho que isso tenha sido planejado, como se tivessem tomado uma decisão parecida com o que costumamos chamar de "disciplina espiritual". Tinha sido apenas uma intuição diante da nova realidade em que se encontravam agora.

A comida está pronta

Mas eles não obtiveram sucesso. Pode ser que tivessem perdido o jeito para a coisa. Pescaram a noite toda e "nada apanharam" (Jo 21.3).

Ao romper do dia, Jesus está de pé na praia. Os discípulos encontravam-se a uma distância de mais ou menos cem metros — pouco mais que o comprimento de um campo de futebol — e não o reconheceram. Ele os chama e pergunta como havia sido a pesca. E é informado de que não haviam apanhado nada. Então ele os orienta a jogar a rede do outro lado do barco. Ao fazerem isso, retiram uma rede cheia de peixes.

João, que em Jerusalém foi o primeiro a entender o que havia acontecido quando viu o túmulo vazio, também é o primeiro aqui na Galileia. Ele entende o que está ocorrendo. Reconhece aquela figura na praia e sabe que é Jesus ressurreto. Então diz a Pedro, que o havia acompanhado na corrida ao túmulo no dia da ressurreição: "É o Senhor!" (v. 7, MSG). Pedro pula na água e nada até a praia para encontrar-se com Jesus, deixando para os colegas o trabalho de recolher e puxar a rede cheia de peixes. Não é uma delícia quando pessoas que passam por experiências espirituais deixam todo o trabalho nas nossas costas?

Quando chegam à praia, veem que Jesus já lhes havia preparado pão e peixe. Depois que Pedro ajuda seus colegas a tirar os peixes da rede, Jesus os chama para comer: "A comida está servida" (v. 12, MSG). Pedro e João já haviam reconhecido que aquele homem na praia era Jesus. Os outros cinco também o reconhecem agora. "Eles sabiam que era o Senhor" (v. 12, MSG). Então, Jesus lhes passa pão e peixe. É a primeira refeição do dia e ocorre no contexto da ressurreição.

Os autores dos evangelhos gostam de narrar histórias em que Jesus aparece comendo e bebendo. A mesa era um dos cenários favoritos dos evangelistas. É onde apresentavam Jesus, revelando a si mesmo, conversando, trabalhando e acolhendo homens e mulheres.

Por isso é que me interesso em examinar essas duas ocasiões em que Jesus come e bebe com as pessoas, pois elas são esclarecedoras e nos envolvem na formação-via-ressurreição e na caminhada perante o Senhor na terra dos viventes — o jantar na casa de Cleopas e a refeição matinal na praia da Galileia.

Nossa formação se dá no meio de atividades rotineiras

Em primeiro lugar, olho para o que é óbvio, mas sempre negligenciado. A formação-via-ressurreição não depende de um contexto especialmente preparado nem de lugar e hora escolhidos com cuidado. O padrão é o normal. Não há nada mais normal, rotineiro e diário do que comer e beber.

Em nossa cultura, costumamos fazer três refeições por dia: café da manhã, almoço e janta. Fazemos essas refeições primeiramente porque são uma necessidade. Precisamos de nutrientes para continuar a desempenhar nossas funções biológicas. Pela própria natureza de nossa criação, somos seres que precisam ingerir regularmente carboidratos, proteínas, gorduras, fibras, vitaminas e líquidos.

Mas comemos também pelo prazer que isso nos proporciona. Um café da manhã típico dos bons hotéis, com ovos mexidos, broa de milho, pão de queijo, frutas fresquinhas e manteiga derretida no pão, pode se transformar num momento de prazer quase inesquecível. Encontrar-se com um amigo para almoçar uma sopa quentinha acompanhada de pão de milho é uma forma de misturar conversa e calorias que proporcionam uma experiência deliciosa para muitos de nós.

Será que existe alguma outra coisa que façamos com tanta frequência e naturalidade, misturando necessidade e prazer de forma tão inconsciente, despretensiosa e comum, como o ato de preparar uma refeição e comê-la ao lado da família, dos amigos ou de nossos convidados? Nossa natureza humana fica exposta quando comemos juntos. Precisamos comer para nos manter com vida, e todos comemos basicamente as mesmas coisas — verduras, legumes, frutas, massas e carnes. O ato de comermos juntos tem o condão de colocar de lado nossa vaidade, pelo menos durante algum tempo. Nossas diferenças e até reputação ficam em segundo plano quando comemos e bebemos junto com outras pessoas.

Cada cultura tem a sua tradição no tocante à hospitalidade. Todas elas implicam o cultivo de um relacionamento honesto, o reconhecimento da dignidade pessoal e o prazer mútuo que advém das ações de dar e receber. Por isso é de grande importância que, ao atentar para as formas pelas quais o Cristo ressurreto chega a nós e é formado em nós, deparemos com essas duas experiências de comer e beber juntos retratadas na ressurreição — o jantar em Emaús e a refeição matinal na praia da Galileia.

A prática cristã em questões de formação espiritual desvia-se bastante do ideal quando tentamos construir ou sistematizar uma espiritualidade afastada dos aspectos mais comuns e corriqueiros da vida. E não existe nada mais comum do que uma refeição. Os princípios abstratos — esteio de muita coisa que nos é fornecida na cultura eclesiástica contemporânea — não têm origem na revelação bíblica.

Comer e beber. Pão e peixe. O lar em Emaús e a praia na Galileia. São esses os elementos que fornecem o substrato e as condições para a formação-via-ressurreição.

Pão e peixe de verdade

Minha segunda observação é que ambos os exemplos de refeição eram o que poderíamos chamar de refeição funcional. Não foram ocasiões especialmente preparadas para uma revelação espiritual. Não houve nenhuma "encenação". Eram elementos naturais e integrantes do dia a dia das pessoas.

O jantar em Emaús aconteceu depois de uma longa caminhada de Jerusalém para casa. Cleopas e seu amigo (e presume-se que Jesus também) estavam com muita fome. O jantar não foi principalmente um evento social nem religioso. Eles estavam com fome depois de uma longa caminhada, e por isso comeram. A refeição matinal na Galileia aconteceu depois de uma longa noite de trabalho árduo. Com toda certeza, os sete pescadores chegaram à praia morrendo de fome. E ficaram felizes ao ver que o peixe já estava sendo frito e o pão já estava pronto. Então aceitaram o convite de Jesus para comer porque sentiam fome.

Nas Escrituras há belas metáforas que falam de comida como forma de se referir ao apetite por Deus: "Provai e vede que o SENHOR é bom" (Sl 34.8); "Bem-aventurados os que têm fome e sede de justiça, porque serão fartos" (Mt 5.6); "Como de banha e de gordura farta-se a minha alma" (Sl 63.5); e "Uma comida tenho para comer, que vós não conheceis" (Jo 4.32).

Mas aquelas refeições no contexto da ressurreição não têm nada de metafórico. Eram pão e peixe de verdade. Pão assado, peixe frito — comida para o estômago.

Há lugares para os quais podemos fugir de nosso dia a dia a fim de orar, meditar e descansar. Jesus nos deu exemplo disso: "Tendo-se levantado alta madrugada, saiu, foi para um lugar deserto e ali orava" (Mc 1.35). Todavia, por mais que o costume de se retirar seja útil e necessário — bastante necessário —, o que Lucas e João nos fazem enxergar com suas histórias é que um ingrediente básico para nossa formação espiritual, para a formação-via-ressurreição, são nossas refeições do dia a dia, para as quais nos sentamos no decurso do trabalho diário.

Cada vez que pegamos garfo e faca, cada vez que dizemos "por favor, me passe o sal", cada vez que repetimos uma porção de couve-flor, encontramo-nos num ambiente propício a nossa formação espiritual. Lucas e João nos dizem que devemos levar a sério as horas em que estamos comendo e bebendo. Nosso culto de domingo é importante. Os estudos bíblicos de que participamos são importantes. Os retiros que fazemos são importantes. Contudo, no decorrer de toda uma vida, a presença despercebida e não reconhecida do Cristo ressurreto em nossas refeições pode ter mais impacto na formação da vida de Cristo em nós.

Dádiva que recebemos e da qual participamos

A terceira observação que faço em referência a essas refeições é que nos dois casos o reconhecimento ou constatação da ressurreição demorou para acontecer. Por que a dupla de Emaús não reconheceu Jesus de imediato? Eles aparentemente conheciam muito bem as palavras e o jeito de Jesus. Diante das circunstâncias da história, é bem improvável que aquele tenha sido o primeiro contato que tiveram com Jesus. É bem provável, todavia, que já tivessem escutado Jesus falar e também tivessem falado com ele várias vezes. O grupo de seguidores de Jesus não era grande. Pelos padrões de hoje, Jerusalém era uma cidade pequena. O que impediu que eles o reconhecessem? E por que os sete discípulos não perceberam que quem estava com eles era o Cristo que havia ressuscitado? Isso é ainda mais intrigante do que no caso do não reconhecimento na estrada de Emaús, pois, pelo que sabemos, eles já haviam visto e falado com Jesus depois da ressurreição em duas oportunidades distintas — a primeira, no dia da ressurreição, e a segunda, oito dias depois. Na segunda oportunidade, Tomé chegou a tocar em Jesus (ver Jo 20.19-28).

Não sabemos o porquê. Mas o que podemos observar é que o reconhecimento do Jesus ressurreto é algo que se dá não apenas com os dados obtidos pela visão. A participação na ressurreição não é algo que se força nem que se planeja. Há um elemento de dádiva nisso tudo e algo de envolvimento também.

Em nenhuma das ocasiões a ressurreição foi algo sufocante. O reconhecimento e a confissão não se deram pela força. Jesus não usou sua ressurreição para intimidar as pessoas, obrigando-as a lhe prestar adoração ou a se tornar discípulas.

Existe em alguns segmentos da igreja uma tradição respeitável, mas, em minha opinião, equivocada, que faz uso da ressurreição com objetivos estritamente apologéticos, utilizando-se dela para provar a divindade de Jesus. (Em outros segmentos da igreja, existe uma prática paralela, mas que se opõe a essa, que tenta negar a ressurreição, para assim provar que a fé cristã é uma variação do humanismo básico.)

É lógico que se pode fazer uso da ressurreição para fins apologéticos. É o que Paulo faz. Mas o próprio Paulo coloca a ressurreição de Jesus em evidência principalmente para nos envolver na *prática* da ressurreição.

Não estou usando a palavra *prática* no sentido de alguém que pratica piano, por exemplo. *Prática* é uma palavra que usamos para nos referir a um médico que tem experiência. É uma daquelas palavras superabrangentes que incluem tudo que fazemos.

Os autores dos evangelhos não parecem ter objetivos apologéticos — a ressurreição de Jesus não tem nada a ver com coação. Ela não força a pessoa a crer. É possível passar horas na presença do Cristo ressurreto e nem saber o que está acontecendo. Eles vieram a crer, mas foi participando, recebendo, envolvendo-se. O ambiente ideal onde isso acontece é aquele em que comemos e bebemos juntos, é o ambiente de uma refeição com outras pessoas.

Não se trata de mágica

Em quarto lugar, para que não tentemos desenvolver um método pelo qual possamos colocar a ressurreição de Jesus para funcionar de acordo com nossa demanda, observamos que o convite para o jantar da ressurreição em Emaús foi feito por Cleopas e pelo amigo. Na praia da Galileia, o convite partiu do próprio Jesus. Imagino que isso signifique que não há um manual de procedimentos para entendermos das questões relativas à formação-via-ressurreição. Não precisamos ser metódicos, tentando fazer as coisas do jeito certo ou na ordem correta.

Os que se envolvem com magia e os adeptos do ocultismo insistem na precisão absoluta nas coisas relacionadas com rituais e encantamentos. Basta uma palavra ou um gesto equivocado para que tudo saia errado. Ou pode acontecer o pior, se o feitiço virar contra o feiticeiro ou se o efeito obtido for o contrário do que se pretendia. Mas não há palavras ou fórmulas para experimentar a formação-via-ressurreição; não há princípios que devem ser observados. Jesus está presente, seja para aceitar nosso convite, seja para nos convidar. Às vezes será de um jeito; outras vezes, de outro.

Jesus é sempre o anfitrião

Por fim, parece-me importante observar que tanto no jantar quanto na refeição matinal Jesus foi o anfitrião.

Isso era algo que não se esperava no caso do jantar, mas podia ser considerado normal na refeição na praia. Uma refeição é um esquema montado pelo anfitrião e pelos convidados também. Normalmente, a refeição é produto do trabalho de várias mãos, visíveis e invisíveis. Mas um anfitrião, quer de modo explícito, quer implícito, estabelece as condições em que a refeição se dará. Os bons anfitriões fazem isso discretamente, de modo que a pessoa de fora às vezes tem dificuldade para perceber a diferença entre o anfitrião e o convidado.

Essa realidade de anfitrião e convidado que se vê em todas as refeições em comum propicia uma ampla experiência na natureza da formação espiritual. O convidado de um almoço ou jantar participa de forma plena. O anfitrião, por exemplo, não come a comida do convidado. Mas, ao mesmo tempo, o convidado depende totalmente do anfitrião. Como convidados, estamos à mesa primeiramente em virtude do convite que recebemos. O alimento foi comprado ou cultivado e servido pelo anfitrião — mesmo que, na condição de convidados, tenhamos sido chamados para ajudar. E o anfitrião é quem se responsabiliza pela limpeza no final.

Não é à toa que a mesa seja um cenário bíblico tão comum para a ação de Deus na nossa vida. Estamos totalmente envolvidos e, ao mesmo tempo, totalmente isentos de qualquer responsabilidade. Mas essas duas condições se fundem e são quase imperceptíveis na prática. "Anfitrião" não é quem exerce um papel autoritário. Sentados à mesa de um anfitrião simpático e experiente, os convidados sentem-se num ambiente de grande liberdade e espontaneidade.

Jesus é sempre o anfitrião. Nunca estamos "no comando" de nossa formação espiritual. Não somos nós que escolhemos o cardápio. Não personalizamos os detalhes segundo nossos gostos e preferências. Mas, ao mesmo tempo, nossa presença e participação são plenas, e estamos completamente envolvidos na verdadeira formação-via-ressurreição.

A desconstrução das refeições

Encontramo-nos vivendo numa época em que as refeições comuns — ou aquilo que o filósofo Albert Borgmann chama de "cultura da mesa" — foram colocadas meio de escanteio. A máquina e suas metáforas dominam o modo como vivemos, como pensamos e como falamos acerca do que vivemos.

É provável que as refeições corriqueiras sejam, por excelência, *o* meio fundamental pelo qual atendemos nossas necessidades físicas de alimento, nossas necessidades sociais de conversa e intimidade e nossas necessidades culturais de transmissão de valores e tradições. A refeição — o preparo, o ato de ser servida, sua ingestão e a limpeza — sempre foi um microcosmo de realidades complexas que se unem para constituir até a mais simples forma de vida de homens, mulheres e crianças. Sendo tão inclusiva (qualquer pessoa pode ser incluída numa refeição) e tão abrangente (afetando todos os níveis da nossa existência: físico, social e cultural), a refeição é uma realidade que fornece um grande repertório de metáforas para praticamente tudo o que fazemos como seres humanos. Essas metáforas quase sempre subentendem algo profundamente pessoal e comunal — dar e receber, conhecer e ser conhecido ("provai e vede que o SENHOR é bom"), aceitar e ser aceito, liberalidade e generosidade ("terra que mana leite e mel").

E sempre profundamente arraigada numa simples refeição — fato que às vezes nos é invisível — está a experiência do sacrifício: sacrifica-se uma vida para que outra possa viver. Pode ser a vida de uma cenoura, um pepino, um peixe, um pato, um cordeiro ou uma novilha, mas sempre será uma vida. O ato de comer sempre nos coloca num mundo complexo e de sacrifício, um mundo em que se dá e se recebe. A vida é alimentada pela vida. Não somos autossuficientes. Vivemos por meio da vida, e esta nos é dada.

A proeminência dessas refeições nos mantém em contato íntimo com nossa família e com as tradições com as quais crescemos, pessoalmente à disposição de amigos e convidados, moralmente relacionados com os famintos, e, talvez acima de tudo, nos torna participantes do contexto e das condições nas quais Jesus viveu, usando a linguagem que ele usava.

Mas o papel que as refeições exercem na vida de hoje tem deixado de ser central. É claro que continuamos a comer, mas o mundo do comer e beber está se desintegrando. O crescimento exponencial de restaurantes onde se serve *fast-food* significa que quase não existe tempo livre para conversarmos. A explosão no número de restaurantes significa que cada vez menos se prepara comida em casa. A invasão dos televisores, que agora ocupam a cabeceira da mesa de refeição da família, praticamente acabou com os relacionamentos pessoais e com as conversas. A frequência com que se consomem refeições prontas ou congeladas causa uma verdadeira erosão na cultura das receitas de família e do trabalho em grupo. Tudo isso e outras coisas significam que as refeições à mesa não são mais uma realidade a que temos pleno acesso nem algo natural como contexto em que se encontra o Cristo ressurreto. Para a maioria das pessoas, as máquinas substituíram as refeições como aspecto dominante e como metáfora da vida diária.

Ainda assim, podemos fazer refeições — todos podem. Assim, a mesa continua a ser um importante meio, um lugar e uma condição na qual podemos viver a prática da formação-via-ressurreição. Mas é provável que hoje tenhamos de ser mais firmes e decididos nessa questão.

A forma da liturgia

A prática do comer e beber no contexto da formação-via-ressurreição se dá prioritariamente pela Ceia do Senhor, também chamada de Eucaristia e Santa Ceia. Desde o início do movimento cristão, essa prática ocupa lugar central em nossa adoração. Existe também uma forte e permanente tradição no costume cristão de encarar todas as refeições como uma espécie de minissacramento. Essa tradição tem como firme fundamento a linguagem bíblica que descreve o que Jesus fazia quando se reunia com as pessoas e comia com elas.

Dom Gregório Dix, monge anglicano da Inglaterra, publicou um trabalho em agosto de 1941 que acrescentou uma nova expressão à língua inglesa: "o formato da liturgia" [*the shape of the liturgy*]. Esse "formato" não foi exatamente descoberto por ele. Outras pessoas que estudavam a Bíblia e a adoração já haviam notado sua existência. Mas ele fez algo mais. Ele deu destaque ao formato. Examinou todas as suas implicações. É uma obra-prima de texto, e acho que nunca foi superado.

O que ele traz a nossa atenção é o seguinte: quatro vezes diferentes encontramos uma sequência de quatro verbos que descrevem o que Jesus fazia durante as refeições.

A primeira vez que a sequência aparece é na multiplicação dos pães e peixes (ver Mt 14.13-21) para uma multidão formada por cinco mil pessoas, fora mulheres e crianças. Depois de Jesus fazer a multidão se sentar no chão e tendo reunido os poucos elementos para a refeição — cinco pães e dois peixes — Mateus nos diz: "*tomando* os cinco pães e os dois peixes, erguendo os olhos ao céu, os *abençoou*. Depois, tendo *partido* os pães, *deu*-os aos discípulos, e estes, às multidões" (v. 19, itálicos acrescentados).

Os quatro verbos são os seguintes: tomar, abençoar, partir e dar.

A segunda vez que os verbos aparecem é na segunda multiplicação dos pães — outra multidão cuja fome é saciada, agora de quatro mil pessoas, sem contar mulheres e crianças (ver Mt 15.32-39). E a comida disponível é de novo insuficiente — sete pães e alguns peixinhos. Como da outra vez, depois que a multidão havia se sentado, Jesus "tomou os sete pães e os peixes, e, dando graças, partiu, e deu aos discípulos, e estes, ao povo" (v. 36).

Aqui também aparece a mesma sequência de quatro ações: tomar, dar graças, partir e dar.

A terceira história é a que se passou na quinta-feira da chamada Semana Santa — na noite da Última Ceia (ver Mt 26.26-29). Era a noite da Páscoa, e Jesus havia reunido seus doze discípulos. E então: "Enquanto comiam, tomou Jesus um pão, e, abençoando-o, o partiu, e o deu aos discípulos..." (v. 26).

E a sequência é a mesma: tomar, abençoar, partir e dar.

O jantar em Emaús relatado por Lucas é o outro exemplo: "E aconteceu que, quando estavam à mesa, tomando ele o pão, abençoou-o e, tendo-o partido, lhes deu" (Lc 24.30).

Tomar, abençoar, partir, dar.

Paulo registra a mesma coisa ao escrever para a igreja de Corinto: "Porque eu recebi do Senhor o que também vos entreguei: que o Senhor Jesus, na noite em que foi traído, tomou o pão; e, tendo dado graças, o partiu e disse: Isto é o meu corpo, que é dado por vós" (1Co 11.23-24).

Ele não inclui o último verbo, mas Jesus dá o pão aos discípulos. Assim, de novo, as quatro ações: tomar, dar graças, partir e dar.

O relato da refeição matinal na Galileia, em João 21.1-14, não reproduz toda a sequência verbal. Ao chamar os sete para comerem, "veio Jesus, tomou o pão, e lhes deu" (v. 13). Desta vez aparecem somente o primeiro e o último verbo: tomar e dar.

O modelo para nossa vida

É isso que Dom Gregório Dix chama de "formato da liturgia". Logo no início da comunidade cristã, a adoração assumiu esse formato eucarístico de quatro ações, definindo um modelo seguido até hoje. Mas o que se definiu foi mais que um modelo. Nossa própria vida "na terra dos viventes" assume o formato daquela refeição, uma refeição no contexto da ressurreição que se revela central e dominante.

Jesus toma o que levamos a ele — nosso pão, nosso peixe, nosso vinho, nossos cabritos, nossas ovelhas, nossos pecados, nossas virtudes, nosso trabalho, nossa recreação, nossos pontos fortes, nossos pontos fracos, nossa fome, nossa sede, não importa o que sejamos. E em cada mesa que nos sentamos, primeiro e acima de tudo levamos a nós mesmos. E Jesus toma isso — ele nos toma.

Jesus abençoa e agradece o que levamos, dá graças por quem somos em nossa entrega. Ele toma o que lhe entregamos e leva-o ao Pai por meio do Espírito Santo. Tudo que está sobre a mesa e ao redor dela é elevado numa atitude de bênção e de gratidão. Ele nos oferece e nos apresenta à Divindade, à operação da Trindade. Jesus não critica, não condena nem rejeita nossa oferta. "Você aparece aqui trazendo só dois peixes?" Consegue imaginar Jesus à mesa, dizendo-lhe algo assim?

Jesus parte ou quebra o que levamos a ele. Muitas vezes dirigimo-nos à mesa com toda nossa etiqueta e com aquele ar de autossuficiência impenetrável. Somos apenas verniz, apenas personagens — atores educados e bem postados no jogo da vida. Mas Jesus procura o que está do lado de dentro e então expõe o nosso interior — nossas deficiências. Quando estamos à mesa, não é permitido que nos fechemos em nós mesmos nem que nos façamos de autossuficientes. Somos colocados diante da crucificação. E nós a encenamos ao comermos o alimento comum. Quando nosso orgulho e nossa autoaprovação são partidos e quebrados, somos colocados diante de uma nova vida, de uma nova ação. Tudo que está sobre a mesa representa algum tipo de vida oferecida em troca de outra, um sacrifício para nosso anfitrião. Se chegamos com a nossa petulância, fechados na dureza de nossas mentiras e dissimulações, ele quebra as barreiras, abre caminho no meio de tudo e propicia uma nova vida. "[...] coração quebrantado e contrito, ó Deus, não desprezarás" (Sl 51.17, NVI).

Vemos esse quebrantamento primeiro em Jesus, que foi partido e teve seu sangue derramado. E agora o vemos em nós.

Então **Jesus dá de volta,** devolve o que levamos a ele, a pessoa que somos. Mas não é mais aquilo que havíamos levado. Aquilo que somos, o eu que lhe oferecemos à mesa, é transformado naquilo que Deus dá. A transformação ocorre à mesa, ao comermos e bebermos o corpo e o sangue consagrados de Jesus. Uma refeição no contexto da ressurreição. "Cristo em mim."

A prática da ressurreição começa na mesa do Senhor, mas não termina ali. A mesma experiência é vivida cada vez que nos sentamos para comer e beber. Para o cristão, todas as refeições derivam da Ceia do Senhor e a estendem às mesas onde comemos e bebemos no dia a dia, mesas em que o Senhor ressurreto está presente como anfitrião.

Todos os elementos da formação-via-ressurreição estão presentes sempre que nos sentamos para fazer uma refeição e invocamos Jesus como anfitrião. Uma das atividades mais comuns de nossa vida é também o contexto em que ocorrem as mais profundas operações. Isso não é mesmo maravilhoso? A fusão do natural com o sobrenatural que testemunhamos, na qual nos envolvemos no formato da liturgia, continua — ou pode continuar — na mesa da cozinha de casa.

"Venha comer; o jantar está na mesa."

"Por favor, me passe o pão…"

"Vovó, não vamos ter nenhuma conversa sobre Deus, tá bom? Vamos só tocar a vida."

Eles não perderam um minuto e voltaram para Jerusalém. Encontraram os Onze e seus amigos reunidos ali, dizendo: "Aconteceu mesmo! O Mestre ressuscitou — Simão o viu!".

LUCAS 24.33-34, MSG

3
Ressurreição e amigos

Uma das grandes jogadas do diabo é fazer os cristãos pensarem que são leigos. No uso comum que fazemos da palavra, o termo *leigo* praticamente sempre significa alguém que não é especialista. Nenhum leigo sequer sonharia em entrar num centro cirúrgico, pegar um bisturi e fazer a retirada de uma vesícula de um corpo anestesiado sobre a mesa. Se o corpo fosse meu, eu também não permitiria!

Quando se trata de alguma coisa realmente importante, costumamos exigir experiência, competência, conhecimento. E exigimos provas também: certificados, diplomas, crachás, uniformes e recomendações. Ao lidar com assuntos de muita seriedade, sempre queremos o melhor — o que significa que não admitimos nenhum leigo.

Mas há um problema nisso tudo. À medida que a informação aumenta, temos cada vez mais coisas para aprender, muito mais do que damos conta, e por isso precisamos depender de terceiros — especialistas — para saber o que está acontecendo e o que tudo aquilo significa. À medida que a tecnologia se desenvolve, máquinas, motores e procedimentos vão ficando cada vez mais complexos, acima da nossa capacidade de lidar com eles, e por isso precisamos depender mais uma vez de terceiros — especialistas — para manejar as ferramentas e consertas as máquinas. A cada dia aumenta o número de coisas que não conhecemos e de coisas que não temos condições de fazer. Isso significa que, à medida que o tempo passa, vamos precisando de mais especialistas só para dar conta das tarefas diárias, o que reforça nossa identidade de leigos e amadores.

Meu primeiro carro foi um Ford daqueles antigos. E eu mesmo conseguia consertá-lo quando precisava. Resolvia quase todos os problemas do carro, mesmo sem ter muita queda para mecânica. Mas aqueles carros eram fabricados para gente como eu. Hoje eu tenho um Honda e nem sequer sei abrir o capô do motor.

Uma situação assim é perfeita para o diabo. Se eu puder ser convencido de que a palavra *leigo* significa o que eu sou e não somente o que eu não sei fazer, acabo me tornando uma excelente oportunidade de mercado para os especialistas que estão prontos para me dizer como devo viver a minha vida e, em alguns casos, prontos até para vivê-la por mim. Como Deus é o cerne de quem eu sou e do que faço, e o que existe sobre ele e sobre seus profundos mistérios é muito mais do que sou capaz de aprender ou imaginar, acabo aceitando depender de um especialista que possa cuidar desses assuntos para mim.

Assim, termino delegando aos especialistas os assuntos e providências relacionados com a minha alma. Deixo de tratar diretamente com Deus — afinal de contas, sou um leigo. É lógico que continuo me envolvendo no campo das atividades relacionadas com Deus e conservo um razoável repertório de palavras e frases que uso para me referir a ele, conforme orientação dos especialistas. E sinto-me muito bem por poder participar dos projetos de Deus e por ser escolhido para fazer a minha parte colaborando com os profissionais que receberam treinamento e formação — mas faço tudo isso com uma consciência autodepreciativa que me diz que pastores e professores estão acima de mim nesses assuntos.

Em vez de seguir Jesus, passo a seguir os especialistas em Jesus. E dentro de pouco tempo já adquiri os hábitos de um consumidor em relação a Deus, permitindo que terceiros me forneçam os produtos e serviços essenciais. Sou um consumidor *religioso*, é verdade, mas não deixo de ser um consumidor — e minha alma fica profundamente desfigurada pela passividade.

O risco para nossa identidade cristã

E acontece então que o diabo não tem nenhuma dificuldade conosco nesses assuntos. Ele não precisa investir em estratégias complexas para destruir nossa alma por meio de maldade, glutonaria ou adultério, nem precisa correr o risco de ver tudo se voltar contra ele quando nos sobrevém um sentimento de culpa que nos conduz ao arrependimento. A única coisa que ele precisa fazer é introduzir esse espírito de leigo em nossa identidade de cristãos. À semelhança de um parasita em nossa corrente sanguínea, desenvolve-se um sentimento de incapacidade de nos relacionarmos com Deus. E incapacidade não é sinônimo de humildade, de jeito nenhum. Muitas vezes, isso acaba fazendo que deixemos de nos relacionar pessoalmente com Deus, já que existe tanta gente de competência que pode fazer isso em nosso lugar. E em pouco tempo deixamos de falar com nosso Salvador, deixamos de ouvi-lo, deixamos de segui-lo. O que foi que aconteceu?

Muito bem, isso tem um nome, e serei curto e grosso: traição. Traição pura e simples. E enquanto tudo isso acontecia, nem sequer tivemos alguma sensação de pecado. O diabo é esperto.

A formação espiritual exige que os cristãos rejeitem com bravura qualquer sintoma de aceitação da mentalidade de leigo, pois se trata de uma mentalidade que traz consequências debilitantes para o caráter da pessoa e para o testemunho da igreja. É essencial que recuperemos a dignidade e a competência de homens, mulheres e crianças naquilo que mais nos afeta: Deus e a companhia das pessoas de cuja vida fazemos parte, as virtudes e a obediência, os relacionamentos pessoais, mantendo o contato físico com os outros, provando nossa comida, guardando o dia de descanso, assinando nosso nome e dando nome a nossos bebês. Por mais que estejamos dispostos a aceitar o rótulo de leigos nos assuntos relacionados com conserto de carros, tratamentos ortodônticos, exegese do hebraico e programação de computadores, precisamos rejeitar esse rótulo com toda a firmeza quando o que está em jogo é a essência de nossa identidade e de nosso comportamento como cristãos.

E assim avançamos na prática da ressurreição, de detalhe em detalhe e um pouco a cada dia. Acolhemos e acalentamos uma vida pessoal e direta com Deus e de uns com os outros. Paramos boquiabertos, deslumbrados diante do simples milagre da vida criada por Deus. Sentamo-nos para comer em volta de uma mesa e ali descobrimos e redescobrimos que Cristo é o anfitrião. Enxergamos os elementos sedutores de nossa cultura, tanto secular quanto eclesiástica. São aquelas coisas que nos seduzem e nos desviam de uma sensibilidade consistente e integral em relação à nova vida em Cristo. Então recuperamos — e esse é realmente o assunto deste capítulo — nossa identidade batismal, pessoalmente designada na companhia interpessoal de Deus Pai, Deus Filho e Deus Espírito Santo.

Águas que correm pelo subsolo

Há mais de cem anos, G. K. Chesterton protestou contra o modo como profissionais e especialistas estavam assumindo a responsabilidade por atividades humanas comuns e essenciais. Ele escreve que, não muito tempo atrás, os homens cantavam em coro em torno de uma mesa. Agora um homem canta sozinho diante de um microfone, pela razão absurda de que canta melhor. Se esse tipo de coisa for adiante, prevê Chesterton, "somente um homem irá rir, porque ri melhor do que os outros".[1]

Esse tipo de coisa tem aumentado no meio de nossa sociedade e continua a infectar a consciência cristã bem no ponto em que mais incapacita a condição humana. Mas hoje também temos vozes que se colocam ao lado de Chesterton e chamam a atenção para a devastação espiritual que acontece quando os cristãos caem no consumismo religioso e abrem mão da dignidade e da glória de serem seguidores de Jesus. Há homens e mulheres — alguns deles lendo agora estas palavras — que, com força e eloquência, advertem-nos e orientam-nos a remar contra a correnteza poluída do profissionalismo religioso que desencadeia o ataque feroz e implacável do comércio religioso, transformando a vida espiritual em bens de valor econômico e tratando a igreja como um mercado que se abre para a promoção e venda de programas, técnicas e produtos para a glória de Deus. É difícil imaginar que Deus tenha prazer numa coisa dessas.

A ressurreição de Jesus é a influência que está no âmago de toda formação espiritual cristã. Meu objetivo é recolocar esse campo de influência no centro de nossa imaginação e contrastá-lo com o psicologismo, o escapismo e o profissionalismo que prevalecem e sujam as águas do riacho do qual nossa alma, à semelhança de uma corça, anseia beber (ver Sl 42.1). A ressurreição de Jesus é esse riacho. É um riacho no subsolo cujas águas alimentam as fontes para a alma do cristão. "Todos os cantores, saltando de júbilo, entoarão: Todas as minhas fontes são em ti" (Sl 87.7).

No primeiro capítulo, contra o psicologismo que reduz a formação espiritual a explicações, manipulações e controle, estabeleci o simples deslumbramento motivado pela ressurreição — a surpresa que deixou cinco mulheres e dois homens atônitos diante do Jesus ressurreto — e como âncora desse deslumbramento apresentei a observância do sábado, o dia de descanso.

No segundo capítulo, contra o escapismo que desvia a formação espiritual para o caminho que busca o esotérico, o extático e o exótico, estabeleci as refeições comuns no contexto da ressurreição — o jantar em Emaús e a refeição matinal na praia da Galileia, ocasiões em que Cristo foi o anfitrião — e como âncora dessas refeições apresentei a Ceia do Senhor.

E agora, contra o profissionalismo que tomou conta da formação espiritual, cujos agentes gerenciam todo o processo com ares de especialistas, estou estabelecendo um grupo de amigos comuns, todos leigos, que fizeram o primeiro curso de formação-via-ressurreição — e como âncora desse grupo de amigos apresento o batismo.

Na companhia de amigos

A formação espiritual não deve nem pode ser profissionalizada. Ela é algo que acontece essencialmente na presença de amigos, de iguais.

A ressurreição de Jesus se dá na companhia de amigos que se conhecem pelo nome, dos quais também sabemos o nome de alguns. A ressurreição não é uma exibição impessoal feita diante das multidões. A ressurreição é vivenciada numa rede de contatos pessoais. As pessoas mencionadas servem como lembrete de que a ressurreição se dá entre homens e mulheres como nós — confusos, desnorteados, perplexos, pessoas que fazem seus questionamentos e até teimam em duvidar. E, claro, ela também se dá no meio de amigos que cantam, creem, oram e obedecem.

Tudo isso deriva da Trindade: relações pessoais, mas não uma formação impessoal.

Mateus é quem nos fornece o primeiro relato canônico de um grupo de amigos sendo espiritualmente formados pela via da ressurreição (ver 28.16-20). Na história contada por ele, duas mulheres, Maria Madalena e a "outra Maria", encontram o Cristo ressurreto num domingo de manhã e recebem ordens de contar tudo aos discípulos. Jesus refere-se a eles como "meus irmãos" (v. 10, MSG). E lhes diz que devem se dirigir para a Galileia, aonde irá ao encontro deles.

E é isso que eles fazem — num total de onze pessoas (os Doze menos Judas). Eles se dirigem ao monte que lhes foi indicado, e Jesus encontra-se ali com eles. Mas aquela reunião foi particularmente estranha, porque "alguns duvidaram" (v. 17).

Como isso podia acontecer? É fato que eles o "adoraram", mas "alguns duvidaram". Quem? Você não gostaria de saber quem foram? Quantos? Será que foram poucos? Ou a maioria deles? Maioria ou minoria? E quanto tempo será que isso durou? Será que foi algo apenas daquele momento? Ou continuou por mais uns dias? Ou pela vida inteira?

O que importa é isto: Jesus não parece exigir unanimidade para prosseguir. Ele continua e dirige-se a eles simplesmente como um grupo de amigos — amigos que o adoram e amigos que duvidam. E ele lhes dá uma ordem para continuarem o trabalho que havia começado neles e com eles, ordem que se faz acompanhar da promessa de que não os deixaria sozinhos:

Deus me autorizou a comissionar vocês: vão e ensinem a todos os que encontrarem, de perto e de longe, sobre este estilo de vida, marcando-os pelo batismo no nome tríplice: Pai, Filho e Espírito Santo. Vocês devem ensiná-los a praticar tudo que tenho ordenado a vocês. Eu estarei com vocês enquanto procederem assim, dia após dia após dia, até o fim dos tempos. (v. 18-20, MSG)

A vida da ressurreição é ativada por três verbos: ensinar, batizar e praticar.

E é assim que Mateus termina de contar a história. Ele não recheia seu relato com cores locais, tons emocionais ou com interesses humanos. Ele é claro, conciso e organizado. Quem sabe ele usasse um *palm-top*. Mateus é um historiador bem sistemático.

Uma explosão de alegria

Lucas compensa o estilo econômico e didático de Mateus e dispensa bastante cor local ao relato (ver 24.36-53). Ele nos conta a história da dupla de Emaús, que estava de volta a Jerusalém na noite do domingo, após a refeição no contexto da ressurreição que os dois haviam feito com Jesus, falando sobre "o que havia acontecido no caminho" e durante a refeição (v. 35, MSG). Enquanto os amigos estão extasiados no meio da conversa, de repente Jesus aparece. Eles estremecem de medo — pensam estar vendo um fantasma. Mas Jesus os tranquiliza, chamando-lhes a atenção para a clara evidência de sua presença em carne e osso. Então, como se quisesse apresentar uma prova cabal, pede alguma coisa para comer. Eles lhe dão um resto de "peixe que haviam assado" (v. 42, MSG), e ele o come diante do olhar de todos.

Jesus então passa a ensinar-lhes como deviam reconhecê-lo e compreendê-lo no contexto mais amplo da revelação das Escrituras. Em seguida, anuncia que vai enviar "o que meu Pai prometeu a vocês" (v. 49, MSG), leva-os para Betânia, dá-lhes sua bênção e parte. E os discípulos voltam de Betânia para Jerusalém "explodindo de alegria" (v. 52, MSG).

São os mesmos onze amigos (discípulos) que aparecem no relato de Mateus. Mas outros dois são incluídos — Cleopas e seu amigo de Emaús — totalizando treze pessoas. Nenhuma informação nos é dada diretamente por eles. Mas ficamos sabendo que eles saem de um estado em que não reconheciam a ressurreição, morrendo de medo e achando que estão vendo um fantasma, e entram num estado em que a reconhecem. Não é interessante que eles não o reconhecem, mesmo depois de o terem reconhecido em outra ocasião? Eles têm um lapso. Essa é uma experiência que exige envolvimento e participação. Não é possível tirar uma fotografia, carregá-la na carteira e dizer "ele ressuscitou".

Eles conseguiram reconhecê-lo de duas formas: primeira, quando ele pegou o peixe e comeu, eles perceberam que naquele corpo não havia nada de fantasmagórico. Depois, à medida que Jesus lhes ensinava, conseguiram compreender como ele se encaixava nas Sagradas Escrituras e lhes dava completude. A origem do que eles viram e do que compreenderam era a mesma. As coisas haviam aparecido juntas. Os treze amigos encerraram o dia se sentindo abençoados e radiantes.

Exige-se uma prova palpável

João conta essencialmente a mesma história de Lucas sobre a reunião que Jesus teve com os discípulos na noite do domingo (ver 20.19-23). Ele deixa de fora alguns detalhes incluídos por Lucas, mas compensa isso acrescentando outras informações. O dado mais interessante e, provavelmente, mais importante sobre a formação espiritual pela via da ressurreição é o seguinte: "Ele respirou fundo e soprou sobre eles. 'Recebam o Espírito Santo'" (v. 22, MSG).

Mas João nos conta ainda outra história envolvendo os amigos no contexto da ressurreição. Ela acontece exatamente uma semana depois da outra história que ele e Lucas contam. João nos diz que Tomé não estava presente no primeiro encontro na noite do domingo. E, quando fica sabendo do que havia acontecido, não acredita. Ele exige algo que o deixou famoso: uma prova palpável — queria colocar o dedo no buraco que o cravo havia feito na mão de Jesus e pôr sua mão no ferimento que a espada havia causado no lado dele. Oito dias depois, os amigos estão novamente juntos, e Tomé ganha o que queria. Jesus aparece e cumprimenta os discípulos reunidos. Mas então se dirige a Tomé pelo nome e submete as mãos e o lado à prova do toque que Tomé havia exigido. Tomé deixa escapar sua comovente e perene oração de quatro palavras: "Meu Senhor! Meu Deus!" (v. 28, MSG). O texto grego traz sete palavras. Jesus aceita sua confissão e pronuncia uma bênção sobre todos que, nos dias, anos e séculos vindouros, viriam a crer sem o benefício do tato e da visão.

A ressurreição de Jesus é algo que nos envolve

Paulo acrescenta alguns detalhes ao que nos é dito pelos autores dos evangelhos, colocando-se na companhia das primeiras testemunhas da ressurreição (ver 1Co 15.3-8). A lista de Paulo começa com Pedro e depois vêm os Doze, "seus seguidores mais próximos" (v. 5, MSG). Em seguida, acrescenta um dado que os autores dos evangelhos não nos fornecem: "ele apareceu vivo [...] a mais de quinhentos seguidores ao mesmo tempo — muitos deles estão por aí (ainda que alguns já tenham morrido)" (v. 5-6, MSG). Será que não gostaríamos de saber como isso aconteceu? Onde eles estavam? No templo dos judeus? No interior da

Galileia? Será que Jesus lhes ensinou alguma coisa? Quanto tempo Jesus ficou com eles? E por que ninguém registrou nada disso?

"Com Tiago e com o restante" (v. 7, MSG) também é uma informação inédita. A inclusão de Tiago é um ato de generosidade, pois esse Tiago era o irmão de Jesus que antes não queria ter nada que ver com ele (ver Jo 7.2-9).

O próprio Paulo inclui-se por último na lista: "Finalmente, apareceu vivo a mim" (v. 8, MSG). O relato que Lucas faz dessa aparição de Jesus ressurreto está registrado em Atos 9.1-19, e Paulo também conta a mesma história com as próprias palavras em sua defesa diante da multidão em Jerusalém (ver At 22.6-16) e perante o rei Agripa (ver At 26.12-23).

Depois da grande surpresa de se achar incluído no grupo de amigos que testemunharam a ressurreição de Jesus, Paulo tornou-se um poderoso e impressionante pregador e mestre na igreja do primeiro século. E acabou também se tornando seu autor mais prolífico. Seus textos fornecem riqueza de detalhes sobre o papel crítico e insubstituível que a ressurreição exerce na vivência da fé cristã.

Nas cartas de autoria de Paulo, há 53 referências à ressurreição de Jesus. É a ressurreição que coloca e mantém em movimento toda a iniciativa do evangelho. A maior parte desses textos afirma a centralidade da ressurreição de Jesus, a certeza de nossa ressurreição dos mortos ou as duas coisas. Mas há seis textos que relacionam de forma explícita a ressurreição de Jesus e nossa formação espiritual que se encontra em andamento (ver Rm 6.4; 8.11; Ef 2.6; Fp 3.10; Cl 2.12; 3.1). Em outras palavras, não se trata de uma ressurreição para o futuro, mas para agora — e é nisso que estamos interessados neste momento.

É claro que o testemunho de Paulo é que a ressurreição não é apenas uma verdade histórico-doutrinária sobre Jesus na qual devemos crer, nem somente uma verdade escatológica sobre nosso destino final, mas também o âmago de nossa formação espiritual, da formação-via-ressurreição.

Assim, Paulo coloca-se ao lado dos amigos que viveram a ressurreição e que se encontram nos registros dos evangelhos, amigos para quem a formação espiritual do cristão se dá essencialmente pela prática da ressurreição.

Ao repassar essa última rodada de histórias da ressurreição, ficamos com a profunda impressão de que a ressurreição de Jesus nos envolve com outras pessoas. Ela cria laços de amizade. E nos introduz na companhia de homens, mulheres e crianças que não mais se veem como indivíduos autônomos e independentes uns dos outros. Mas esse grupo de amigos não é homogêneo. Nem todos têm o mesmo pensamento. E também não são todos os que creem.

Não existem elites espirituais

Minha primeira observação nesse sentido é que o reconhecimento e a resposta que se dá à ressurreição de Jesus não é uma experiência particular. Ela se dá na companhia de outras pessoas. Sabemos que em Jerusalém aconteceram duas reuniões a portas fechadas em dois domingos seguidos — primeiro com treze pessoas e depois com onze. Paulo também menciona a experiência da ressurreição vivida na companhia de amigos — os "doze", os "mais de quinhentos irmãos" e "todos os apóstolos" (1Co 15.5-7). Já vimos que havia duas pessoas no jantar de Emaús, outras sete na praia da Galileia, as duas Marias do relato de Mateus, as três mulheres que Marcos apresenta levando essências aromáticas ao túmulo e as outras quatro que aparecem em Lucas indo preparar o corpo de Jesus.

As duas exceções parciais encontram-se no primeiro e no último relato que nos é fornecido. Mas as exceções não são absolutas, pois o encontro de Maria Madalena com Jesus no jardim — o primeiro relato — se deu no contexto de um grande movimento de pessoas indo e vindo e contando, à medida que se espalhavam as notícias sobre a ressurreição. É certo que ela não se manteve distante e calada por causa do privilégio de ter sido a primeira testemunha. E o encontro de Paulo com Jesus na estrada de Damasco — o último relato — se deu na companhia de outras pessoas, que ouviram o que estava acontecendo, mas não conseguiram ver coisa alguma. A consequência imediata foi a disposição que Paulo demonstrou de se submeter à companhia e à sabedoria de terceiros. Em sua primeira carta aos coríntios, ele faz referência a isso e recusa-se até mesmo a colocar-se em pé de igualdade com as outras testemunhas da ressurreição, descrevendo-se como o último da fila e renunciando a qualquer condição privilegiada. Ele chega a se referir a si mesmo como um *ektroma* — um aborto ou até mesmo uma aberração (ver 1Co 15.8-9). Isso me parece o grau máximo da autodepreciação.[2]

O que é visível e importante em tudo isso é que a participação direta na ressurreição de Jesus não criou uma elite espiritual formada por especialistas. Não havia nenhum especialista em ressurreição, nenhum profissional no assunto.

Nesse texto de Paulo e nas histórias dos quatro evangelhos que chegaram até nós, não se detecta nenhuma tentativa de cerrar fileiras em torno de um grupo e excluir outros. Os "alguns" que "duvidaram" no monte da Galileia receberam a mesma comissão apostólica dos outros. Cauteloso, Tomé conteve-se, mantendo-se longe de qualquer risco ou vexame, mas foi acolhido no círculo da ressurreição. Tiago, irmão de Jesus, mesmo com sua incredulidade e desdém de antes, foi generosamente incluído.

A ressurreição de Jesus é uma porta que se abre. Qualquer um tem fácil e amplo acesso a esse grupo de amigos da ressurreição, entre os quais não existem classes nem privilégios.

Um conhecimento pessoal e relacional

Minha segunda observação reforça o aspecto pessoal e relacional da vida formada pela ressurreição de Jesus: duas vezes nessas histórias envolvendo amigos no contexto da ressurreição há referências à Trindade, o círculo de pessoas da Divindade.

No relato de Mateus, quando Jesus, num monte da Galileia, incumbe seus discípulos da missão, ele lhes ordena que façam discípulos em todo o mundo, "batizando-os em nome do Pai, e do Filho, e do Espírito Santo" (28.19).

De acordo com o registro de João, na noite do primeiro domingo da ressurreição, Jesus diz aos discípulos: "Paz seja com vocês! Assim como o Pai me enviou, eu envio vocês". Em seguida, ele toma fôlego e sopra sobre eles: "Recebam o Espírito Santo" (20.21-22, MSG). Pai, Filho e Espírito Santo — todos praticamente em um só fôlego.

O conceito distintivo de Deus na Bíblia é a Trindade. Mas as Escrituras não formulam esse conceito. Os dois textos acima, ao lado do terceiro de autoria de Paulo (2Co 13.13), são as associações mais explícitas dos três nomes: Pai, Filho e Espírito Santo. Mas a Trindade está implícita praticamente em toda parte na revelação bíblica. É grande a frequência com que se mostra que Deus é essencialmente relacional e pessoal. Assim, também nós não podemos entender Deus nem recebê-lo à parte de nossa natureza pessoal e relacional. Isso exclui nitidamente o intelecto como única forma de conhecer a Deus. Exclui as atividades programadas como forma de conhecer a Deus. Exclui o cultivo de experiências de êxtase ou de revelação particular como forma de conhecer a Deus. Deus não é uma ideia abstrata na qual podemos nos especializar, nem uma força impessoal que pode ser usada, nem uma experiência particular que existe para nos satisfazer.

Quando nos damos conta da ressurreição de Jesus e respondemos a ela, entramos no campo da ação plena da Trindade, que é a formação da vida de Cristo por meio do Espírito Santo em companhia de amigos.

E assim entendemos que nossa formação-via-ressurreição é inevitavelmente pessoal de ambos os lados — do nosso lado, na companhia de amigos pessoais, e do lado de Deus, na companhia das três pessoas da Trindade.

A coerência dos relatos

Minha terceira observação diz respeito à coerência das histórias narradas pelos autores dos evangelhos quando comparadas com os seis textos em que Paulo fala da ressurreição. A ressurreição coloca a nossa vida no campo de ação do evangelho. É a ressurreição que propicia energia e caráter para a formação espiritual. Os seis textos encontram-se abaixo:

- Romanos 6.4: "Fomos, pois, sepultados com ele na morte pelo batismo; para que, como Cristo foi ressuscitado dentre os mortos pela glória do Pai, assim também andemos nós em novidade de vida".
- Romanos 8.11: "Se habita em vós o Espírito daquele que ressuscitou a Jesus dentre os mortos, esse mesmo que ressuscitou a Cristo Jesus dentre os mortos vivificará também o vosso corpo mortal, por meio do seu Espírito, que em vós habita".
- Efésios 2.5-6: "[Deus] nos deu vida juntamente com Cristo [...] e, juntamente com ele, nos ressuscitou, e nos fez assentar nos lugares celestiais em Cristo Jesus".
- Filipenses 3.10: "[...] para [eu] o conhecer, e o poder da sua ressurreição, e a comunhão dos seus sofrimentos, conformando-me com ele na sua morte".
- Colossenses 2.12: "[...] tendo sido sepultados, juntamente com ele, no batismo, no qual igualmente fostes ressuscitados mediante a fé no poder de Deus que o ressuscitou dentre os mortos".
- Colossenses 3.1: "Portanto, se fostes ressuscitados juntamente com Cristo, buscai as coisas lá do alto, onde Cristo vive, assentado à direita de Deus".

Chamo a atenção para os seguintes elementos:

- "como Cristo foi ressuscitado [...] assim também [...] nós";
- "esse mesmo que ressuscitou a Cristo Jesus [...] vivificará também o vosso corpo mortal";
- "juntamente com ele, nos ressuscitou";
- "para [eu] o conhecer, e o poder da sua ressurreição";
- "igualmente fostes ressuscitados";
- "se fostes ressuscitados juntamente com Cristo".

Todos os pronomes que Paulo emprega estão no plural: nós, nos, vós, vosso. É difícil dizer que o "eu" usado em Filipenses seja uma exceção, pois Paulo está dando testemunho do que pretende que os próprios filipenses experimentem. Ele não está se isolando como um especialista ou um exemplo privilegiado de ressurreição vivida na prática.

O fôlego santo

A quarta observação é a seguinte: Paulo insiste em que participemos da mesma ressurreição de Jesus, e isso é coerente com os atos e palavras de Jesus aos discípulos reunidos na noite da ressurreição, quando "soprou sobre eles e disse-lhes: Recebei o Espírito Santo" (Jo 20.22). "O Espírito daquele que ressuscitou a Jesus dentre os mortos" — frase de Paulo em Romanos 8.11

— é o mesmo Espírito que Jesus soprou sobre eles. Os seguidores de Jesus não vivem a vida formada pela via da ressurreição olhando para ele, ou tentando imitá-lo, ou recebendo sua influência, mas sendo ressuscitados com ele. Isso é formação-via-ressurreição.

Acho interessante que a história da criação se reproduz aqui neste episódio. O verbo que João emprega para referir-se à ação de Jesus soprar o Espírito Santo sobre eles, *emphusao*, é o mesmo verbo usado em Gênesis 2, em que Deus sopra o "fôlego de vida" nas narinas do homem e este se transforma em "alma vivente" (v. 7).

Jesus fez com os discípulos o mesmo que Deus fez em Gênesis: soprou o Espírito e trouxe vida, vida da ressurreição. O paralelismo dos dois textos — criação e ressurreição — aponta para uma semelhança básica. A ressurreição é tão importante para a vida humana quanto a criação foi para o barro que deu forma a Adão. É a própria vida — o fôlego de Deus, o fôlego de Jesus, o início do que somos e do que nos tornamos pelo Espírito Santo, o Fôlego Santo.

A desconstrução dos amigos

A formação-via-ressurreição é algo que exige a presença do "outro". Mas esse "outro" não é apenas uma presença física, uma estatística impessoal, um ser humano reduzido a um papel, função ou necessidade.

Próximo é um sinônimo que chega mais perto do que estamos querendo dizer aqui, mas usarei a palavra *amigo* para ressaltar o aspecto pessoal e relacional. É a palavra que Jesus introduziu em sua última e longa conversa com seus seguidores, prevendo a nova intimidade que surgiria com sua ressurreição: "Já não vos chamo servos, porque o servo não sabe o que faz o seu senhor; mas tenho-vos chamado amigos, porque tudo quanto ouvi de meu Pai vos tenho dado a conhecer" (Jo 15.15).

Neste mundo que se cria pela ressurreição, encontramo-nos como aliados e companheiros de nossos amigos, ligados uns aos outros não por uma necessidade, por um sentimento ou porque sejamos úteis, mas pela realidade de que somos objetos de ações de Deus que nos são comuns. Fazemos parte de algo maior e distinto de nós, algo de que não poderíamos fazer parte sozinhos.

A amizade não está relacionada primordialmente a gostar de outra pessoa. É algo que está ligado ao fato de que vivemos juntos uma realidade que nos é comum. Não necessariamente nos sentimos íntimos de nossos amigos, mas esperamos e valorizamos o companheirismo que resulta de uma vida com elementos que nos são comuns. Com muita propriedade, C. S. Lewis imagina um quadro em que geralmente duas pessoas apaixonadas e românticas olham uma nos olhos da outra; mas os amigos ficam um ao lado do outro e olham para alguma coisa que "tem importância para ambos".[3] Ao contrário de um relacionamento romântico, a amizade não pressupõe exclusividade, mas abre-se para se expandir — pela troca de ideias e de energia com os outros: "Numa boa amizade, cada amigo sempre se sente humilde diante dos demais. A pessoa percebe que eles são maravilhosos e que teve a sorte de estar entre eles".[4]

Assim, existe um elemento de contemplação entre amigos — é a valorização da singularidade do outro, a percepção de que algo bom deriva de uma realidade que está fora e acima do que eu sou, fora e acima do que você é.

A companhia da coinerência

Charles Williams, amigo de C. S. Lewis, inventou a expressão (deve tê-la inventado, pois a usava muito) "companhia da coinerência", para destacar o relacionamento de homens e mulheres que sabem que seus relacionamentos não são fruto de quem eles são como pessoas, mas da formação-via-ressurreição da qual têm uma participação em comum, a saber, a ressurreição do Jesus encarnado (Deus e homem). Igreja, congregação, comunidade — são termos mais genéricos que podem transmitir ou não o mesmo sentido. Pessoalmente, gosto da "companhia da coinerência".

Mas esse tipo de amizade, essa "companhia", está sofrendo graves ataques no mundo em que vivemos, o que significa que uma das condições básicas para participarmos da ressurreição de Jesus também está sob fogo cerrado. *Amigo* é um termo que está sendo impiedosamente desconstruído. O entulho dessa desconstrução deixa o chão cheio de fragmentos e pedaços dessa palavra, outrora rica e complexa, que nos dava uma compreensão relacional e pessoal acerca de nós mesmos e de uns em relação aos outros. Acabamos juntando fragmentos de funções e categorias pelas quais podemos nos identificar e responder por nós mesmos e uns pelos outros. Palavras impessoais começam a dominar nossas conversas: disfunção, recurso, consumidor, problema, vítima, cliente, patrimônio, responsabilidade, bem-sucedido, fracassado. No momento em que começamos a usar essas palavras para descrever as outras pessoas, investimos contra a possibilidade da amizade e até mesmo contra a sua realidade.

Essa desconstrução acontece nas escolas em que os testes psicológicos reduzem o ser humano àquilo que pode ser avaliado ou medido. Acontece também na propaganda e nas estratégias de *marketing*, que com toda audácia se utilizam do pecado da sensualidade e da ganância, da inveja e do orgulho como iscas para vender carros, roupas, viagens e empréstimos financeiros — estratégias que reduzem o ser humano a uma coisa que se pode manipular. A desconstrução também acontece nos serviços sociais que rotulam as pessoas como problemas ou recursos. Acontece nas igrejas em que o evangelho é oferecido como um produto que satisfaz nossas necessidades ou que nos tira de uma vida cheia de tédio. Toda vez que usamos essa linguagem que tanto despersonaliza o ser humano, a essência de nossa identidade como uma companhia de amigos é atingida.

O cultivo da independência é fatal

Se esse ataque fosse feito às claras e de modo explícito, seria mais fácil lutar e resistir. Mas não é uma guerra franca; ela é sutil e se dá sob camuflagens. Por meio de uma linguagem usada com destreza e através da manipulação da imagem, acabamos fazendo o que é certo do jeito errado e o errado do jeito certo.

A mistura das culturas da autonomia e do profissionalismo — que na verdade são dois lados da mesma coisa — é a principal arma usada nessa desconstrução. A cultura da autonomia dá um enorme valor à independência e à autossuficiência. Não ter de pedir ajuda para ninguém acaba se tornando uma virtude. Considera-se uma conquista chegar aonde queremos por conta própria, sem depender dos outros. Cada automóvel que é produzido, cada computador que é fabricado, coloca-

-nos cada vez mais "no controle" de nossa vida. Ao mesmo tempo, porém, tudo isso nos isola dos outros. Não precisamos das outras pessoas.

Mas e o que se faz com as coisas, experiências, valores e prazeres que podemos ter somente na companhia de outras pessoas — como a ressurreição? Uma independência sistematicamente cultivada diminui a possibilidade da ressurreição e apaga a consciência que temos dela.

Ao mesmo tempo, essa autonomia nos separa fisicamente dos relacionamentos pessoais, e uma cultura de profissionalismo nos isola de uma vida em comum com as pessoas. Se aprendemos a depender de uma classe profissional em assuntos como saúde, conserto do carro, questões legais e nosso bem-estar religioso, as pessoas comuns com as quais convivemos — aquelas com quem mais temos coisas em comum (nossos conhecidos, vizinhos e, muitas vezes, os membros da nossa família) — acabam perdendo o valor e a dignidade aos nossos olhos. E nós também, sendo constantemente tratados pelos especialistas como se fôssemos consumidores ou vítimas, acabamos perdendo nosso senso de dignidade e valor.

A prática da ressurreição

A vida da ressurreição é uma prática. Não é algo que praticamos como alguém que pratica uma escala musical ou que pratica uma cobrança de escanteio no futebol. É uma prática no sentido mais amplo, no sentido de um médico que tem prática, experiência, e isso define quem ele é e o seu trabalho diário. Os médicos não ficam praticando com gente doente. Eles exercem a prática da cura. A palavra *prática* é empregada num sentido semelhante quando se fala em prática do direito, prática da diplomacia, prática da oração. É nesse sentido que praticamos a ressurreição — envolvidos numa vida permeada pela presença do Jesus ressurreto e pela comunhão com ele na companhia de amigos.

O que me interessa é recuperar esse sentido mais amplo da vida cristã sob circunstâncias da vida comum e de todo dia — na nossa prática. Não se trata de algo que praticamos em retiros, conferências e reuniões especiais, mas da vida da ressurreição que é praticada no dia a dia em casa e no trabalho.

Assim, procurei detectar algumas coisas simples e essenciais que fazemos e que nos colocam naqueles enormes cruzamentos do trânsito da vida, que muitas vezes nos passam despercebidos, cruzamentos nos quais o Jesus ressurreto nos aparece, é reconhecido e nos envolve na ressurreição. Perceba que estou usando os verbos no presente. É algo que está acontecendo agora. É o que Jesus faz. Ele está aqui, e está vivo. Praticar a ressurreição é perceber essa realidade, entrar em sua esfera de ação e envolver-se.

Vimos no primeiro capítulo que o descanso e o lazer — o ato de desligar-nos de responsabilidades e necessidades — permitem que vejamos a primazia da presença e da atividade de Deus em todos os pontos de nossa vida. Em outras palavras, colocamo-nos em condições de sermos surpreendidos por aquilo que não está em nós, aquilo que não depende do que somos, fazemos ou deixamos de fazer. E assim nos tornamos capazes de ficar deslumbrados e atônitos diante do que Deus é e de quem ele é.

A observância do sábado é o ato sacramental que os ancestrais do povo de Deus praticavam, em atenção a um mandamento, a fim de preservar com reverência e adoração a capacidade de estarem atentos e sensíveis àquilo que não estava neles e não está em nós, de forma que possamos ter sensibilidade para vivenciar a formação-via-ressurreição.

Vimos depois no segundo capítulo que comer e beber é uma atividade de que todos nós temos experiência; ela representa o sacrifício inerente à vida que é dada em troca de outra, inerente ao dar e receber. Isso nos propicia o acesso à formação-via-ressurreição. Observamos que as refeições que Jesus fazia exerciam um papel central na exposição da sua vida e que duas dessas refeições foram fundamentais para o reconhecimento da ressurreição.

Assim, a mesa eucarística — a mesa do Senhor — torna-se a prática sacramental para os cristãos na preservação do foco na ressurreição vivenciada nas rotinas da vida. A mesa e a ceia nos envolvem no sacrifício das trocas entre vida e morte que cultivam a formação-via-ressurreição.

Identificando e identificados pelo batismo

Na experiência da ressurreição vivida na companhia de amigos, é preciso observar que a prática de chamar e ser chamado pelo nome é o que nos separa como criação singular à imagem de Deus — somos pessoas. Na companhia de todas as outras pessoas, essa prática afirma o valor de nossa identidade pessoal na formação-via-ressurreição.

O sacramento do batismo é o ato que nos mantém conscientes dessa identidade. No batismo, nosso nome é pronunciado no contexto e na companhia das três pessoas da Trindade, também citadas pelo nome. Por causa disso, somos irredutivelmente pessoais. O batismo é o sacramento que preserva essa identidade e nos mantém conscientes dela enquanto somos envolvidos na formação-via-ressurreição.

As dificuldades dessa ressurreição vivida na prática — o cultivo de uma vida que honra o Espírito que ressuscitou Jesus e que agora nos ressuscita com ele — aparecem mais cedo ou mais tarde, e para a maioria das pessoas, isso acontece mais cedo. Muitos que recebem essa nova vida logo querem assumir o controle e vivê-la mais ou menos por conta própria. Outros, mais inseguros e inexperientes nessas questões importantes e sagradas, voltam aos velhos hábitos e contratam um profissional que lhes diga o que devem fazer ou pensar, de forma que possam se dedicar plenamente às coisas de interesse imediato. Muita gente faz um pouco de ambas as coisas. Já faz tempo que vivemos nessa cultura de autonomia e profissionalização. É difícil romper com hábitos e pressupostos tão antigos e reforçados pela cultura.

Preservando nossa identidade da ressurreição

Então como fazemos para preservar a essência de nossa identidade como pessoas à imagem de Deus na companhia dos amigos no contexto da ressurreição? Como é possível manter essa identidade única como uma companhia de amigos que remam contra a correnteza de uma cultura que isola e profissionaliza? A resposta é bem simples e direta: Submetemo-nos ao batismo e o mantemos vivo em nossa memória. É no batismo e na companhia de amigos que somos chamados pelo nome.

Depois disso passamos a compreender e a vivenciar nossa verdadeira identidade — a identidade que vem da ressurreição e que requer que vivamos na companhia de homens e mulheres que atenderam ao convite de Jesus para segui-lo. O batismo é a prática central da comunidade da ressurreição e nos mostra de uma vez por todas quem somos na companhia que buscamos quando seguimos Jesus.

O batismo de Jesus no rio Jordão foi marcado pelo Espírito que desceu sobre ele, no anúncio de sua identidade trinitária íntima — "meu Filho amado" (Mc 1.11) — e no início de seu ministério público de proclamação do reino de Deus.

No relato de Mateus, ao dar suas últimas instruções aos discípulos no monte da Galileia, visando à continuidade de sua obra para as pessoas do mundo inteiro, o Jesus ressurreto ordena-lhes que batizem em nome do Pai, do Filho e do Espírito Santo.

O batismo da primeira comunidade de cristãos em Jerusalém também foi marcado pela descida do Espírito Santo entre eles, que então começaram a falar a língua e a fazer a obra do reino de Deus no mundo.

Paulo incorpora as histórias da ressurreição narradas pelos autores dos evangelhos na linguagem da participação pessoal que se pronuncia no batismo. A vida cristã é uma vida que nasce da ressurreição de Jesus e cumpre-se em nós por meio do Espírito Santo. É essa vida que o batismo coloca em evidência. Assim, o batismo torna-se a prática central que nos leva a compreender e a viver como amigos no contexto da ressurreição, ou seja, na companhia de pessoas igualmente definidas e alcançadas pela operação da Trindade Santa.

Assim como o nascimento e a morte de Jesus se juntam e transformam-se em ressurreição, também nosso nascimento e morte, juntos, tornam-se ressurreição. O batismo é o que nos caracteriza e define na vida de formação-via-ressurreição.

O batismo é o que nos afasta radicalmente da nossa cultura e redefine quem somos. Todas as tradições cristãs, com exceção dos quacres, ressaltam a vida que vem da ressurreição por meio do ritual do batismo. Se levarmos em conta as muitas e complexas diferenças de opinião que os cristãos apresentam em inúmeras áreas, o batismo representa um consenso impressionante. Há diferenças de pensamento sobre o que ele significa e sobre a forma de ser realizado, mas a verdade é que todos os cristãos o praticam — e assim marcam o início da nova vida da ressurreição em Cristo.

Uma guinada de 180 graus

Até onde sei, há dois imperativos implícitos na prática do batismo. E valem para todo mundo. Não é difícil entendê-los, mas ser formado por eles é um processo que exige uma vida inteira de atenção e disciplina. Os dois imperativos são *arrepender-se* e *seguir*.

Na formação-via-ressurreição, o *arrepender-se* é o não, e o *seguir* é o sim. Os dois devem ser exercitados para que, sob várias condições, possam trazer mudança à vida pessoal e à vida da comunidade. Nunca conseguiremos nos especializar nesses dois imperativos num grau que nos permita receber um diploma e passar para coisas mais importantes. Eles são mandamentos básicos, e é assim que permanecem por toda a nossa vida.

Arrepender-se é uma palavra que denota ação. Significa mudar de direção: "Você está indo pelo caminho errado, tendo pensamentos errados e vendo tudo ao contrário". A primeira coisa que fazemos na companhia de amigos no contexto da ressurreição é interromper o que estávamos fazendo, seja lá o que for. Não importa o que seja, é praticamente inevitável que estejamos fazendo a coisa errada, por mais que nos esforcemos e apesar de toda a nossa boa intenção. Todos nós fomos contaminados pelos pensamentos de autonomia e profissionalização. Achamos que estamos no controle de nossa vida ou que pelo menos deveríamos estar. Somos a medida de todas as coisas. Tudo depende de nós. Estamos viajando por uma grande rodovia pavimentada com nossas boas intenções, projetada com toda experiência, servida por tecnologia de ponta, e achamos que ela vai nos levar aonde queremos do modo mais rápido e eficiente possível e com o mínimo de incômodo. Há um número impressionante de especialistas posicionados praticamente em cada saída da rodovia, e eles nos orientam a chegar a nosso destino com eficiência e rapidez. É uma rodovia de tráfego pesado — barulhenta, poluída, e ocorrem muitos acidentes e fatalidades. Mas ela nos leva aonde queremos ir, e assim suportamos quase tudo para chegar ao destino.

Mas então a palavra do evangelho chega até nós: arrependa-se. Dê uma guinada de 180 graus; mude seus pensamentos e o jeito que você imagina as coisas; abandone o barulho, a poluição, a confusão, a eficiência que despersonaliza, a pressa alimentada pela tecnologia, a falta de participação incentivada pelo profissionalismo, a autonomia que arruína a comunidade. Você se encontra em solo santo, na companhia de um povo santo. E deve impedir que esse solo seja profanado.

Cultivamos a vida da ressurreição não pelo acréscimo de alguma coisa a nossa vida, mas denunciando a vida frenética em torno do ego, livrando-nos do lixo cultural e religioso, virando as costas para o que costumamos resumir como "o mundo, a carne e o diabo". Nossa vida está muito agitada, nossa agenda está muito cheia, e nossas igrejas, que deveriam ser nossas aliadas nesse assunto, estão muito, muito ocupadas.

O sim vem depois do não

O segundo mandamento ativado pelo batismo é *seguir*. Seguir Jesus. Seguir Jesus é o sim que vem depois do não. Renunciamos à iniciativa própria na obediência a Jesus. Renunciamos às declarações contundentes e as substituímos pela disposição de ouvir em silêncio. Assistimos à obra que Jesus faz em nós. Ouvimos Jesus falar. Vamos junto com ele e ingressamos em novos relacionamentos, em lugares estranhos e com pessoas esquisitas. É em nome de Jesus que fazemos nossas orações. Ficar na companhia de Jesus, observar o que ele faz e ouvir o que ele diz transforma-se aos poucos numa vida de resposta e sensibilidade para com Deus, que é a vida de oração. Seguir Jesus não é entrar numa fila de robôs que marcham em linha reta atrás dele. Seguir é algo que está dentro de nós, que se interioriza, que chega a nossos músculos e a nossos nervos. É muito mais parecido com uma caminhada e se transforma em oração.

A oração é aquilo que se desenvolve em nós quando saímos do centro e passamos a ser sensíveis ao centro, a Jesus. Essa sensibilidade é uma resposta sempre física — é seguir na companhia de outros seguidores. Jesus está indo a um lugar acompanhado de pessoas. Está indo para Jerusalém. Está indo com seguidores que passaram ou logo passarão pelo batismo. Está indo para o Pai. Seguimos Jesus cultivando uma vida de oração em seu nome, sabendo que seu Espírito ora ao Pai em nós e através de nós. E enquanto o seguimos, aprendemos a conversar com nossos amigos, os amigos da ressurreição, e passamos a observar, valorizar e amar a vida trinitária do Deus que se relaciona. Vivemos no mundo da Trindade, onde tudo é atenção e adoração, sacrifício e hospitalidade, obediência e amor.

Pelo fato de que não batizamos a nós mesmos — isso é algo sempre feito por Deus na comunidade — a vida no contexto da ressurreição começa e só pode começar como uma realidade anterior a nós, acima de nós e distinta de nós, de modo que, pela primeira vez, possamos compreender e nos tornar pessoas verdadeiramente definidas por Deus — pessoas que se relacionam com seus amigos da ressurreição. Isso sempre é feito com a concordância, participação e afirmação de uma companhia de homens e mulheres fiéis igualmente definidos pelo batismo. São as ações simultâneas de identificação, arrependimento, morte, ressurreição e seguir a Jesus.

No batismo, nossa vida é definida pela ressurreição. Conhecemos e somos conhecidos ao conhecer e sermos conhecidos pelo Jesus que está vivo. É aqui que começamos. É um começo que se repete a cada dia de nossa vida. Lembre-se de seu batismo, pois nessas questões não temos condição de fazer nada por conta própria. Conforme Karl Barth insistiu com tanta diligência, somos sempre iniciantes com Deus.[5]

Senhor Jesus, chegamos a ti com um profundo senso de gratidão, atenção, preocupação, devoção, amor por ti e vontade de viver de forma sensível diante de ti. Sabemos que estamos entre amigos na companhia dos teus seguidores — amigos que compartilham a vida da ressurreição e querem que outros também a vejam, compreendam e comecem a participar no centro do que tu estás fazendo e não na periferia da tua ação. Pedimos força e discernimento para entender a cultura em que vivemos — seus efeitos que nos tornam insensíveis e seus atrativos que nos seduzem. Pedimos que tudo o que foi dito nestas páginas — ou pelo menos um pouco disso — possa ser usado para darmos novo foco ao que estamos fazendo. Pedimos tua bênção sobre tua igreja — espalhada e dispersa e em grande parte desesperada. Pedimos que onde quer que estejamos e aonde quer que retornemos — seja ao púlpito, seja ao banco de igreja — façamos parte dessa vida da ressurreição, conscientes de que estás perto e fazes a tua obra. Não estamos preocupados com o que vai acontecer nem se as coisas vão dar certo ou não. Elas têm dado certo há muito tempo e assim continuarão. Acima de tudo, mantém-nos fiéis, atentos, em atitude de adoração e sacrifício e pessoais nos relacionamentos. Oramos no nome do Pai, do Filho e do Espírito Santo. Amém.

Apêndice:
Histórias da ressurreição
Extraídas da Bíblia *A Mensagem*

Mateus 28

A RESSUREIÇÃO

1-4 **28** Depois do sábado, assim que brilhou a primeira luz da nova semana, Maria Madalena e a outra Maria foram visitar a tumba. De repente, a terra tremeu debaixo dos pés das duas mulheres. Nesse momento, um anjo de Deus desceu do céu e foi ao encontro delas. Ele rolou a pedra e sentou-se sobre ela. Raios de luz emanavam dele. Suas roupas eram brancas como a neve e brilhavam. Os guardas da tumba estavam tão aterrorizados que não conseguiam se mover.

5-6 O anjo disse às mulheres: "Não há o que temer. Sei que vocês estão procurando Jesus, aquele que foi crucificado. Ele não está mais aqui. Já ressuscitou, como tinha dito. Venham e vejam onde ele foi posto.

7 "Agora, corram e contem aos discípulos dele: 'Ele ressuscitou dos mortos. Ele está indo à frente de vocês para a Galileia. Vocês o verão lá. Essa é a mensagem'".

8-10 As mulheres, maravilhadas e eufóricas, não perderam tempo: correram para contar a novidade aos discípulos. No caminho, Jesus as encontrou. "Paz seja com vocês!", ele disse. Elas se ajoelharam, abraçaram seus pés e o adoraram. Jesus disse: "Calma! Vocês estão me segurando assim, temendo pela vida de vocês. Não tenham medo. Vão dizer aos meus irmãos que eles devem ir para a Galileia, pois vou me encontrar lá com eles".

11-15 Enquanto isso, os guardas fugiram, mas alguns foram para a cidade e contaram aos principais sacerdotes o que acontecera. Eles convocaram uma reunião dos líderes religiosos e elaboraram um plano. Subornaram os guardas com uma grande soma de dinheiro para que dissessem: "Os discípulos de Jesus vieram de noite e roubaram o corpo enquanto estávamos dormindo". Os religiosos os tranquilizaram: "Se o governador descobrir que vocês dormiram em serviço, damos um jeito para que não sejam condenados". Os soldados aceitaram o suborno e fizeram como lhes fora dito. Essa versão, forjada no Concílio judaico, ainda está em circulação.

16-17 Enquanto isso, os onze discípulos foram para a Galileia, até a montanha que Jesus havia indicado para o encontro. Assim que o viram, eles o adoraram. Todavia, alguns se mantiveram afastados, pois não tinham certeza se deviam adorá-lo e não queiram se arriscar.

18-20 Resoluto, Jesus os instruiu: "Deus me autorizou a comissionar vocês: vão e ensinem a todos os que encontrarem, de perto e de longe, sobre este estilo de vida, marcando-os pelo batismo no nome tríplice: Pai, Filho e Espírito Santo. Vocês devem ensiná-los a praticar tudo que tenho ordenado a vocês. Eu estarei com vocês enquanto procederem assim, dia após dia após dia, até o fim dos tempos".

Marcos 16

A RESSURREIÇÃO

1-3 **16** Passado o sábado, Maria Madalena, Maria, mãe de Tiago, e Salomé trouxeram especiarias para embalsamar Jesus. Na manhã de domingo, assim que o sol raiou, elas foram ao túmulo. Estavam preocupadas e diziam umas às outras: "Quem irá rolar a pedra do túmulo para nós?"

4-5 Ao chegar, elas descobriram que a pedra já havia sido rolada — era uma pedra muito grande. Elas se aproximaram e viram um jovem vestido de branco assentado à direita. Ficaram muito assustadas.

6-7 Então, ele lhes disse: "Não tenham medo. Sei que vocês procuram Jesus, o Nazareno, aquele que foi crucificado. Ele ressuscitou, não está mais aqui. Vejam vocês mesmas que o lugar está vazio. Agora, podem ir! Digam aos discípulos dele e a Pedro que ele vai adiante de vocês para a Galileia. Vocês o verão lá, exatamente como ele disse".

8 Elas saíram o mais rápido que puderam, nervosas e ainda um tanto atordoadas. Amedrontadas, não disseram nada a ninguém.

9-11 [Depois de ressuscitar, Jesus apareceu bem cedo, na manhã de domingo, para Maria Madalena, a quem havia libertado de sete demônios. Ela procurou os antigos companheiros na fé, chorando, e deu a notícia a eles. Quando ouviram que ele estava vivo e que ela o tinha visto, não acreditaram nela.

12-13 Mais tarde, ele apareceu, de forma diferente, a dois deles que caminhavam pelo campo. Eles voltaram e contaram aos demais, mas estes também não acreditaram no relato.

14-16 Depois disso, quando os Onze estavam jantando, ele apareceu e os repreendeu severamente pela incredulidade, pois se recusavam a acreditar nos que o tinham visto ressuscitado. Então, ele ordenou: "Saiam pelo mundo. Vão a toda parte e anunciem a Mensagem com as boas notícias de Deus para todos. Quem crer e for batizado está salvo; quem se recusar a crer está condenado.

17-18 "Estes são alguns dos sinais que acompanharão os que crerem: eles vão expulsar demônios em meu nome, falar em novas línguas, pegar em serpentes e até beber veneno sem que nada lhes aconteça; também vão impor as mãos sobre os enfermos e curá-los".

19-20 Então, o Senhor Jesus, depois de orientá-los, foi elevado ao céu e assentou-se ao lado de Deus no lugar da mais alta honra. Os discípulos saíram por toda parte, pregando. O Senhor trabalhava com eles, confirmando a Mensagem com provas inquestionáveis.]

Nota: Marcos 16.9-20 [a porção entre colchetes] só aparece em manuscritos posteriores.

Lucas 24

ELE QUE ESTÁ VIVO

1-3 **24** Nas primeiras horas do domingo, as mulheres foram à tumba. Levavam as especiarias que haviam preparado para o sepultamento. Encontraram a pedra da entrada da tumba fora do lugar e entraram. Mas não encontraram o corpo de Jesus lá dentro.

4-8 Confusas, tentavam imaginar o que teria acontecido. Então, de repente, dois homens, com luzes brilhando ao redor, apareceram ali. Elas ficaram apavoradas e se curvaram em reverência. Os homens disseram: "Por que vocês estão procurando aqui aquele que está vivo? Ele não está aqui, mas ressuscitou. Lembrem-se do que ele disse, quando ainda estava na Galileia, que tinha de ser entregue aos pecadores, ser morto numa cruz e ressuscitar no terceiro dia?". Então, elas se lembraram das palavras de Jesus.

9-11 Deixaram o túmulo e contaram tudo aos Onze e aos demais. Maria Madalena, Joana, Maria, mãe de Tiago, e as outras mulheres que estavam com elas relataram os fatos aos apóstolos, mas eles não acreditaram numa só palavra que disseram, achando que era coisa da cabeça das mulheres.

12 Mas Pedro correu até a tumba. Olhou para dentro e viu apenas alguns lençóis, nada mais. Abalado e admirado, ele voltou balançando a cabeça.

NO CAMINHO DE EMAÚS

13-16 Naquele mesmo dia, dois discípulos caminhavam em direção à cidade de Emaús, a uns dez quilômetros de Jerusalém. Eles conversavam a respeito de todas as coisas que aconteceram. No meio da conversa, Jesus apareceu e os acompanhou, mas não o reconheceram.

17-18 Ele perguntou: "O que vocês estavam discutindo tão compenetrados?". Eles pararam, cheios de tristeza, como se tivessem perdido o melhor amigo. Um deles, chamado Cleopas, respondeu: "Você deve ser a única pessoa de Jerusalém que não sabe o que aconteceu nos últimos dias".

19-24 Ele perguntou: "E o que foi?" Eles disseram: "As coisas que aconteceram a Jesus, o Nazareno. Ele era um homem de Deus, um profeta, que falava e fazia como ninguém; era abençoado por Deus e amado pelo povo. Mas nossos líderes e principais sacerdotes o traíram, o sentenciaram à morte e o crucificaram. Tínhamos esperança de que ele fosse o Libertador de Israel. Mas hoje é o terceiro dia desde que tudo aconteceu, e algumas das mulheres do nosso grupo nos deixaram confusos. Hoje, de manhã bem cedo, elas estiveram no túmulo. Não encontraram o corpo e voltaram com a história de terem visto anjos e que esses afirmaram que ele está vivo. Alguns dos nossos amigos foram ao túmulo para verificar e o encontraram vazio, como as mulheres disseram, mas não viram Jesus".

25-27 "Vocês não entendem?", suspirou Jesus. "Como demoram para crer! Por que não acreditam em tudo que os profetas disseram? Não percebem que tudo isso tinha de acontecer, que o Messias tinha de sofrer antes de entrar na glória?" Então, ele começou do princípio, com os livros de Moisés, e percorreu todos os Profetas, explicando tudo que as Escrituras diziam a respeito dele.

28-31 Quando chegaram à entrada da cidade de destino deles, Jesus fez como se fosse seguir adiante, mas eles insistiram: "Fique e jante conosco. Já é quase noite. O dia já se foi". Então, ele foi com os dois. E foi isto que aconteceu: ele se assentou à mesa com os dois. Tomando o pão, ele o abençoou, partiu e deu a eles. Nesse momento, seus olhos se abriram e eles o reconheceram. Então, ele desapareceu.

32 Impressionados, comentavam: "Não sentíamos um fogo enquanto ele conversava conosco no caminho, enquanto nos explicava as Escrituras?"

UM FANTASMA NÃO TEM
MÚSCULOS E OSSOS

33-34 Eles não perderam um minuto e voltaram para Jerusalém. Encontraram os Onze e seus amigos reunidos ali, dizendo: "Aconteceu mesmo! O Mestre ressuscitou — Simão o viu!".

35 Então, os dois contaram o que havia acontecido no caminho e como o reconheceram quando ele partira o pão.

36-41 Enquanto falavam, Jesus apareceu no meio deles e disse: "Paz seja com vocês!" Mas eles pensaram que estavam vendo um fantasma e ficaram morrendo de medo. Ele, porém, os tranquilizou: "Não fiquem preocupados nem deixem que a dúvida os domine. Olhem minhas mãos. Olhem meus pés — sou eu mesmo! Toquem em mim. Examinem-me da cabeça aos pés. Um fantasma não tem músculos e ossos". Enquanto dizia isso, mostrou a eles as mãos e os pés. Eles ainda não conseguiam acreditar no que estavam vendo. Era bom demais para ver verdade.

41-43 Ele perguntou: "Vocês têm comida aqui?" Eles trouxeram peixe que haviam assado. E ele comeu o peixe na presença de todos.

VOCÊS SÃO AS TESTEMUNHAS

44 Em seguida, ele declarou: "Tudo que eu disse enquanto estava com vocês confirma: todas as coisas escritas a meu respeito na Lei de Moisés, nos Profetas e nos Salmos tinham de se cumprir".

45-49 Ele continuou a abrir o entendimento deles com relação à Palavra de Deus, mostrando como se devia interpretar a Bíblia: "Vocês podem ver agora que está escrito que o Messias sofreria e se levantaria dentre os mortos no terceiro dia, e uma mudança radical de vida, por meio do perdão de pecados, é proclamada em seu nome a todas as nações — começando aqui, em Jerusalém! Vocês são os primeiros a ouvir e ver tudo. Vocês são as testemunhas. O que virá depois é muito importante: enviarei o que meu Pai prometeu a vocês; então, permaneçam na cidade até que recebam, até que sejam capacitados com o poder que vem do alto".

50-51 Depois ele os levou para fora da cidade, até perto de Betânia. Levantando as mãos, abençoou-os e, enquanto os abençoava, foi elevado aos céus.

52-53 Eles se ajoelharam, adorando-o. Voltaram para Jerusalém explodindo de alegria; e passavam todo o tempo no templo, louvando a Deus. Amém.

João 20—21

A RESSURREIÇÃO

1-2 **20** Cedo de manhã, no primeiro dia da semana, enquanto ainda estava escuro, Maria Madalena foi ao sepulcro e viu que a pedra havia sido removida da entrada. Ela correu na hora até onde estavam Simão Pedro e o outro discípulo, aquele que Jesus amava. Quase sem fôlego, informou: "Tiraram o Senhor do sepulcro! Nós não sabemos onde o puseram".

3-10 Pedro e o outro discípulo imediatamente correram ao sepulcro. O outro discípulo chegou primeiro, pois havia ultrapassado Pedro. Parando para olhar, viu lá dentro as peças de linho, mas não entrou. Simão Pedro chegou depois dele, entrou no sepulcro, observou as peças de linho deixadas ali e o lenço usado para cobrir a cabeça dele — não junto com as peças de linho, mas separado delas, cuidadosamente dobrado. Então, o outro discípulo, que tinha chegado primeiro, entrou no sepulcro, viu tudo e creu.

Ninguém sabia ainda, com base nas Escrituras, que ele haveria de ressuscitar dos mortos. Os discípulos, então, voltaram para casa.

11-13 Maria não voltou, ficou do lado de fora, chorando. Enquanto chorava, abaixou-se para olhar dentro do sepulcro e viu dois anjos sentados ali, vestidos de branco, um do lado da cabeça, o outro do lado dos pés onde o corpo de Jesus havia sido deixado. Eles disseram a ela: "Mulher, por que você está chorando?"

13-14 "Eles levaram meu Senhor", ela disse, "e não sei onde o puseram". Depois de dizer isso, virou-se e viu Jesus parado ali, mas não o reconheceu.

15 Jesus disse: "Mulher, por que você está chorando? A quem procura?" Pensando que fosse o jardineiro, ela pediu: "Moço, se você o levou, diga-me onde o pôs, para que eu possa cuidar dele".

16 Jesus disse: "Maria..." Virando-se para olhar para ele, ela exclamou em aramaico: "*Raboni*!", que quer dizer "Mestre!".

17 Jesus disse: "Não me abrace, pois ainda não subi para o Pai. Vá aos meus irmãos e dê este recado: 'Eu subo para meu Pai e Pai de vocês, meu Deus e Deus de vocês'".

18 Maria Madalena foi dar a notícia aos discípulos: "Eu vi o Senhor!" E relatou tudo que ele tinha dito.

PARA CRER

19-20 Mais tarde, no mesmo dia, os discípulos estavam reunidos, mas, com medo dos judeus, haviam trancado todas as portas da casa. De repente, Jesus entrou, pôs-se no meio deles e disse: "Paz seja com vocês!" E mostrou a eles suas mãos e seu lado.

20-21 Vendo o Senhor com os próprios olhos, os discípulos ficaram exultantes. Jesus repetiu sua saudação: "Paz seja com vocês! Assim como o Pai me enviou, eu envio vocês".

22-23 Ele respirou fundo e soprou sobre eles: "Recebam o Espírito Santo. Se vocês perdoarem os pecados de alguém, esses pecados serão perdoados para sempre. Se vocês não perdoarem os pecados, não serão perdoados".

24-25 Tomé, também conhecido como o Gêmeo, um dos Doze, não estava com eles quando Jesus apareceu. Os outros discípulos contaram a ele: "Nós vimos o Senhor!" Mas ele disse: "A não ser que eu veja os buracos dos cravos em suas mãos, coloque o dedo neles e toque seu lado, não vou acreditar".

26 Passados oito dias, os discípulos estavam outra vez naquela sala. Dessa vez, Tomé estava presente. Jesus passou pelas portas fechadas, foi para o meio deles e disse: "Paz seja com vocês!"

27 Ele voltou-se para Tomé e disse: "Examine minhas mãos. Toque meu lado. Não seja descrente. Creia!"

28 Tomé disse: "Meu Senhor! Meu Deus!"

29 Jesus disse: "Você crê porque viu com os próprios olhos. Bênçãos maiores ainda estão reservadas para os que creem sem ver".

30-31 Jesus realizou outros sinais que revelavam Deus, muito mais do que os que constam neste livro. Esses estão escritos para que vocês creiam que Jesus é o Messias, o Filho de Deus, e ao crer, tenham a vida real e eterna como ele pessoalmente a revelou.

HORA DE PESCAR

1-3 **21** Depois disso, Jesus apareceu outra vez aos discípulos, agora no mar de Tiberíades (o mar da Galileia). Aconteceu assim: Simão Pedro, Tomé (cujo apelido era Gêmeo), Natanael, de Caná da Galileia, os irmãos Zebedeu e dois outros discípulos estavam na praia. Simão Pedro disse: "Vou pescar".

4 Os outros disseram: "Vamos com você". Eles entraram no barco, mas não pegaram nada naquela

noite. Quando o Sol surgiu, Jesus estava de pé na praia, mas eles não o reconheceram.

5 Jesus disse: "Paz seja com vocês! Pegaram alguma coisa para comer?" Eles responderam: "Não".

6 Ele disse: "Lancem a rede do lado direito do barco e vejam o que acontece". Eles fizeram o que ele disse. De repente, havia tantos peixes na rede que eles não conseguiam puxá-la.

7-9 Então, o discípulo que Jesus amava disse a Pedro: "É o Senhor!" Quando Simão Pedro percebeu que era o Senhor, vestiu sua roupa, pois estava despido, e pulou no mar. Os outros discípulos vieram de barco, pois não estavam muito longe da praia, cerca de cem metros, ajudando a puxar a rede abarrotada de peixes. Quando saíram do barco, viram uma fogueira. Havia peixe e pão assando sobre ela.

10-11 Jesus disse: "Tragam alguns dos peixes que acabaram de apanhar". Simão Pedro juntou-se a eles e puxou a rede para a praia — 153 peixes grandes! E, mesmo com todos aqueles peixes, a rede não se rasgou.

12 Jesus disse: "A comida está servida". Nenhum dos discípulos ousava perguntar: "Quem é você?" Eles sabiam que era o Senhor.

13-14 Jesus, então, tomou o pão e o deu a eles. Fez o mesmo com os peixes. Era a terceira vez que Jesus se manifestava — vivo — aos discípulos, desde que havia ressuscitado dos mortos.

VOCÊ ME AMA

15 Depois de terem se alimentado, Jesus disse a Simão Pedro: "Simão, filho de João, você me ama mais do que estes?" "Sim, Senhor, tu sabes que te amo." Jesus disse: "Alimente meus cordeiros".

16 Então, perguntou pela segunda vez: "Simão, filho de João, você me ama?" "Sim, Senhor, tu sabes que te amo." Jesus disse: "Tome conta das minhas ovelhas".

17-19 Jesus perguntou pela terceira vez: "Simão, filho de João, você me ama?" Pedro ficou aborrecido por ele ter perguntado a terceira vez: "Você me ama?". Então, respondeu: "Senhor, tu sabes de tudo. E tu sabes que te amo". Jesus disse: "Alimente minhas ovelhas. Vou dizer uma verdade: quando você era jovem, vestia-se e ia aonde queria, mas, quando for velho, estenderá as mãos enquanto outra pessoa irá vesti-lo e levá-lo para onde você não quer ir". Ele disse isso para indicar o tipo de morte pela qual Pedro iria glorificar a Deus. Em seguida, ordenou: "Siga-me!"

20-21 Virando a cabeça, Pedro percebeu que o discípulo que Jesus amava estava ali perto. Quando Pedro o avistou, perguntou a Jesus: "Senhor, o que vai acontecer com ele?"

22-23 Jesus respondeu: "Se eu quiser que ele viva até que eu volte, o que você tem com isso? Siga-me você". Foi por isso que se espalhou o boato entre os irmãos de que aquele discípulo não morreria. Mas não foi o que Jesus disse. Ele disse apenas: "Se eu quiser que ele viva até que eu volte, o que você tem com isso?".

24 Esse é o mesmo discípulo que foi testemunha ocular de todas as coisas e as escreveu, e todos sabemos que seu relato é confiável e preciso.

25 Há muitas outras coisas que Jesus fez. Se todas fossem escritas, cada uma delas, uma por uma, não consigo imaginar um mundo grande o bastante para caber tamanha biblioteca.

Notas

Prefácio

[1] É possível assistir ao funeral de Eugene em: <https://www.you tube.com/watch?v=OZFrW5VB9tU>.

[2] Eugene H. Peterson, *Memórias de um pastor* (São Paulo: Mundo Cristão, 2011), p. 319-320.

Capítulo 1

[1] Raymond Brown, *The Gospel According to John, xii-xxi* (Garden City, NT: Doubleday & Company, 1970), p. 985.

[2] Ibid., p. 991.

[3] Wendell Berry, do poema "VII", in: *A Timbered Choir* (Washington, D.C.: Counterpoint Press, 1998), p. 12. Reproduzido com permissão de Counterpoint Press, divisão da Perseus Books, L.L.C.

Capítulo 3

[1] Thomas C. Peters, *The Christian Imagination: G. K. Chesterton on the Arts* (San Francisco: Ignatius Press, 2000), p. 90.

[2] Gordon Fee, *The First Epistle to the Corinthians: The New International Commentary on the New Testament* (Grand Rapids: Eerdmans, 1987), p. 733.

[3] C. S. Lewis, *The Four Loves* (London: Geoffrey Bles, 1960), p. 97. [No Brasil, *Os quatro amores*. Rio de Janeiro: Thomas Nelson Brasil, 2017.]

[4] Ibid., p. 97.

[5] Karl Barth, *The Christian Life: Church Dogmatics*, IV, 4 (Grand Rapids: Eerdmans, 1981), p. 79-80.

Compartilhe suas impressões de leitura,
mencionando o título da obra, pelo e-mail
opiniao-do-leitor@mundocristao.com.br
ou por nossas redes sociais

Esta obra foi composta com tipografia Janson Text
e impressa em papel Pólen Natural 70 g/m² na gráfica Imprensa da Fé